SUPER SUDOKU

OVER 250 PUZZLES

ARCTURUS

Arcturus

This edition published in 2015 by Arcturus Publishing Limited
26/27 Bickels Yard, 151–153 Bermondsey Street,
London SE1 3HA

ISBN: 978-1-78404-592-0
AD004548NT

Printed in China

Contents

How to Solve Sudoku Puzzles 5

Puzzles:

★ **Beginners** 6
For those who are new to Sudoku

★★ **Gentle** 16
Warm up with these puzzles

★★★ **Engrossing** 66
Give your mind a work-out

★★★★ **Challenging** 116
Hone your solving skills with these teasers

★★★★★ **Expert** 136
For those who are expert sudoku solvers

Solutions 146

How to Solve Sudoku Puzzles

There is no mystique about solving sudoku puzzles. All you need are logic, patience and a few tips to get you started. In this book the puzzles get tougher as you progress through the book. The process for solving puzzles at different levels is exactly the same, however.

Each puzzle has 81 squares formed into nine rows, nine columns, and nine 'boxes' each of nine squares, shown heavily outlined:

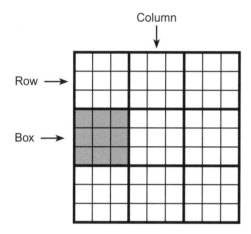

Each puzzle begins with a grid with some of the numbers in place:

	9	6			8		3	
		1		4	2			
5						8	1	9
4		7	1	2				3
		8	7		6	5		
2				9	4	6		1
8	7	2						5
			3	5		1		
	3		2			4	6	

You need to study the grid in order to decide where other numbers might fit. The numbers used in a sudoku puzzle are 1, 2, 3, 4, 5, 6, 7, 8 and 9 (0 is never used).

For example, in the top left box the number cannot be 9, 6, 8 or 3 (these numbers are already in the top row); nor can it be 5, 4 or 2 (these numbers are already in the far left column); nor can it be 1 (this number is already in the top left box of nine squares), so the number in the top left square is 7, since that is the only possible remaining number.

The grid now looks like this:

7	9	6			8		3	
		1		4	2			
5						8	1	9
4		7	1	2				3
		8	7		6	5		
2				9	4	6		1
8	7	2						5
			3	5		1		
	3		2			4	6	

Alternatively, you could look to see where the 5 might be in the top right box. It cannot be in the seventh or ninth columns of the grid (there are 5s already in these columns), so it must be in the eighth column, in the only space available, as shown here:

7	9	6			8		3	
		1		4	2		5	
5						8	1	9
4		7	1	2				3
		8	7		6	5		
2				9	4	6		1
8	7	2						5
			3	5		1		
	3		2			4	6	

A completed puzzle is one where every row, every column and every box contains nine different numbers, as shown below:

Column

Row →

Box →

7	9	6	5	1	8	2	3	4
3	8	1	9	4	2	7	5	6
5	2	4	6	7	3	8	1	9
4	6	7	1	2	5	9	8	3
9	1	8	7	3	6	5	4	2
2	5	3	8	9	4	6	7	1
8	7	2	4	6	1	3	9	5
6	4	9	3	5	7	1	2	8
1	3	5	2	8	9	4	6	7

Solutions to all of the puzzles may be found at the back of the book.

1

	9		4		5		6	
4	6			8			3	5
7		8		3		9		4
2		4	8		1	3		6
	8		6		3		4	
5		6	7		4	8		1
8		7		1		6		9
3	1			6			8	2
	2		5		8		7	

2

5		6		1		9		4
	3				2			5
		4	6	8		7	1	
6		7	4			2	9	8
1				6				7
3	4	9			8	1		6
	6	2		9	3	5		
9			1				8	
8		5		7		3		9

3

	1	6		8		9	2	
4		9		1		3		8
2			9		3			4
	9	7	1		5	4	8	
1			4	7	8			9
	4	3	6		9	5	1	
7			3		1			6
5		8		4		7		1
	6	1		5		2	4	

4

		5		2	3			6
		4	8				5	
		1		6		9	8	3
5	4		6		7		9	1
9		8		5		7		2
3	1		2		8		6	5
1	7	9		4		3		
	5				1	6		
4			3	7		5		

5

4	7	5		1			2	
9			2		5	6		7
				3	8	4		5
	4	6		7	3		8	
3		2	1		6	5		4
	9		4	8		1	3	
8		4	9	2				
6		3	8		7			9
	2			6		8	5	1

6

	4		2			5	9	
7	2	9			5		3	
		3	6	8				4
8	6			1		9		3
	7		3	2	8		6	
2		4		9			1	7
1				3	4	7		
	8		9			1	4	6
	5	2			1		8	

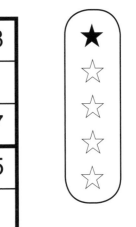

7

9		1		5		3		8
	7		4	2	9		1	
6				3		2		7
4		3	1		2	9		5
	9		3		6		2	
7		2	9		5	6		3
2		7		9				4
	8		2	1	4		3	
1		9		6		8		2

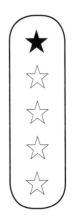

8

6	3		8				2	1
1			4	5	6	8		7
		4	3				6	
		2	7		5		4	
5	7			6			8	9
	6		9			3	5	
	5				8	7		
3		1	6	9	7			8
8	9				2		1	4

9

	6		1		8		9	
	8			4		2	3	1
	3		2	9	7			
8		3	6		4			7
	1	9		2		4	5	
6			9		1	3		8
			3	8	2		7	
5	7	2		6			8	
	9		7		5		4	

10

3	9	6	1		8	4	2	
	2		5		3		1	8
1				9				7
6			8	5	9			3
	5	3				1	8	
9			3	1	7			6
2				3				4
5	3		9		1		7	
	7	9	4		6	5	3	1

11

3		7			4	2		
		9			7		3	6
	6	4		1	2			9
5	8		9			1		
	9		4	8	3		7	
		6			5		8	3
4			7	6		8	2	
9	1		5			3		
		8	2			5		4

12

3		7		9		6		5
2			5		6			3
	5	9	7	2		1		4
	6	1		8	5			
	2		3		1		9	
			9	7		4	1	
1		2		4	8	7	5	
4			1		9			2
8		6		5		3		1

13

2			9	7	3			8
	7		1		8			2
8	9	1		6				7
		6	4		5		3	
4	5			9			2	1
	3		2		6	8		
7				2		4	9	3
6			7		4		8	
3			8	5	9			6

14

7	8		4		9			1
	1		6		8	9		2
		2		3			5	
5	2		1			4	8	
6				9				7
	3	7			2		6	9
	7			6		1		
2		6	5		7		4	
3			9		4		2	6

15

	5			7	9			8
	8		6				7	
	3			2		9	1	6
8		5	2		4	3		1
	6	1		5		7	4	
3		9	7		6	5		2
4	1	3		8			9	
	9				3		2	
6			9	4			5	

16

4		2			7			9
9				1		2	7	5
3			9	2				
	7	5	4		2	1	3	
2	8			3			5	6
	3	4	8		6	7	9	
				8	9			3
5	9	6		4				7
8			6			9		1

17

7	4		5		6		8	1
6		5		2				4
3		8			7	6		2
				6	8	4	9	
	5			4			1	
	2	9	1	3				
5		3	9			1		7
9				7		5		6
2	7		6		4		3	9

18

	9	1	2		8			7
2			4				5	3
		8		6	5		2	
1			9	7		3	6	2
	4			5			1	
7	2	6		8	3			4
	1		5	9		4		
6	7				1			5
8			3		6	9	7	

19

1				7		6		4
	7	8	1		2	3	5	
	5		9	8	6		1	
8			2	9	7			6
	9	6				1	2	
7			6	1	4			8
	6		7	2	1		4	
	4	7	3		8	9	6	
5		1		6				3

20

	1		5			2		
6	4			7			1	8
3		7		9	8			4
5	9	6			4		8	
	3		6		1		7	
	8		9			4	2	6
1			2	6		8		5
2	6			3			9	1
		9			7		6	

21

			8	7		2		9
6				2		3	1	
7	4					6	5	
		5	9				8	
9	1		2		7		3	6
	3				1	4		
	9	8					7	4
	2	3		1				5
1		6		4	8			

22

		7	6	1		9		2
		2			9		8	3
	4				2			1
3				8		2	6	
	8		4		3		5	
	9	4		5				7
6			8				9	
4	1		3			7		
9		5		6	4	3		

23

		8	2	9		1		3
					6	4	7	2
7		5		1			9	
			9	5			4	
3	5						8	9
	4			3	1			
	1			7		8		6
2	3	7	8					
9		6		2	4	5		

24

			1		6			2
6	3	1		9				4
			3	4	8			6
		9	5		7		8	
5	7						2	1
	8		2		9	6		
8			6	7	3			
4				2		5	3	8
9			4		5			

25

8	2		7		3		1	5
5			2		9			8
		6		5		7		
		2	5	9	8	3		
1	5						9	4
		3	4	1	2	5		
		9		2		8		
6			1		5			9
2	3		9		4		7	6

26

1					9			
7				6		9	8	2
5			8	3				
	5	1	4			6	2	7
9	2						3	4
	8	7	9			3	6	5
				4	8			5
2	7	4		1				8
			7					6

27

1			2		7			5
5		4	9		8	2		1
	9			5			3	
	5		6	4	2		8	
6		7				5		4
	8		5	7	1		2	
	1			2			7	
3		9	7		6	8		2
7			4		5			3

28

2			8	4			3	
		6	1				4	9
9		7			2	8		
5	7	9		6	1			
3								2
			4	9		5	1	7
		5	3			1		8
4	2				6	9		
	6			7	8			5

29

5	7					9	3	
8		1		9	6			
4	2			8		5		
	6				1			7
	4	5	9		8	1	2	
3			2				4	
		7		2			8	4
			6	3		2		5
	9	3					1	6

30

		8		1		3	6	4
		7		2	6			
		9	4					
9	7		1		5		8	3
	3	4				5	2	
8	6		2		4		7	1
					8	1		
			6	5		7		
5	8	3		9		6		

31

	4	7	9				2	
2			3	8		1		
					7	4	9	6
	5			4		2		9
	3		1		8		6	
1		4		5			3	
3	2	5	4					
		6		1	2			5
	8				5	9	7	

★★☆☆☆

32

	9			4			7	
1	7			8			3	4
		5	9		7	1		
8	5		6		4		2	7
		7	8		5	4		
4	6		7		3		9	5
		3	4		9	2		
5	1			6			4	3
	2			5			8	

★★☆☆☆

33

		6			4			
	5		3	2			6	8
4	8				1	9		
9	3				6		4	5
		5		3		7		
2	4		8				3	1
		2	7				1	6
8	7			5	9		2	
			2			8		

34

4		3				7	8	
8				6		1	9	
			2	4			6	5
	7		5			2		
5		1	6		4	9		8
		9			1		3	
1	8			3	2			
	9	6		1				7
	2	5				4		3

35

6	8	7						4
		5	8			3	9	
			5	4			1	
9	7		1	8				5
	6		7		3		4	
8				2	9		3	1
	1			9	8			
	3	2			6	5		
4						1	6	2

36

4		8		2		3		5
7	2			6	5			8
			9				1	
9	4	6			8	5		
		7				2		
		5	6			1	8	4
	6				2			
3			1	4			5	9
1		4		7		6		3

37

8				9				7
7		5	1			9		6
9	4				7		5	3
	1	7	2	8				
		4				3		
				5	4	6	7	
6	8		9				2	5
4		2			3	1		9
1				6				8

38

6		1	7			2		
3			4	5				
	8					3	1	7
	4		5	1			3	6
7			6		9			8
9	5			4	3		2	
4	7	9					8	
				8	2			3
		2			4	6		5

39

			5	4	1			
6		9		7		2	4	
		1					3	7
8	2	7	9					6
	1		2		4		7	
9					7	3	5	2
3	7					9		
	4	6		9		1		5
			4	8	2			

40

		6		2	4			8
5	1				7		6	
			5			3	7	1
	9			1		7		6
	4		2		8		3	
1		8		9			4	
9	6	4			1			
	2		9				5	7
3			6	8		9		

41

7		8		9			6	
		5	4	3		7		2
					8	9	1	3
			6	1			4	
2	8						5	1
	4			5	2			
3	9	4	7					
1		6		2	3	8		
	2			6		5		9

42

	8		1					
6		2		3		9		8
		9		6	2	7	5	
8	6	7	4					5
3								1
5					8	6	4	2
	1	3	5	8		4		
4		6		1		5		9
					7		2	

43

					3	9	6	8
		4	6	2		5	1	
	8	7		5				2
			2	7				9
7	1						2	4
9				1	5			
5				8		4	3	
	2	3		6	9	7		
1	6	8	4					

44

	5		9	6		8	1	
8					3	6		
	4				5	9		2
		4		1			9	8
1			5		9			3
6	7			3		5		
3		5	8				7	
		2	7					9
	8	7		2	6		4	

45

9	7			4			8	5
		1	7		6	9		
	3			5			1	
2	1		4		7		5	3
		7	3		5	2		
5	6		2		9		4	7
	2			7			6	
		8	6		2	5		
7	9			3			2	8

46

8					7			
1			5	9				
5				4		7	9	6
	8	1	3		2	5	7	
9		3				6		2
	6	7	8		9	1	4	
6	2	5		8				7
				3	5			1
			2					4

47

	2		4		3		1	
4				5				3
6		5		7		2		4
9		4	5		8	7		1
	5		1		7		4	
3		1	6		4	5		8
5		6		8		1		2
7				1				9
	9		3		5		6	

48

		1	7		4	3		
3				8				2
	9	8	3		5	1	6	
8			4	3	2			9
	4	7				5	3	
9			5	7	8			4
	8	2	6		9	4	7	
1				4				6
		4	8		3	2		

49

			4					2
1	6	4		8				9
				3	6			7
	7	8	3		4	9	6	
5	3						1	4
	9	1	8		5	2	7	
7			6	5				
6				2		5	9	1
8					9			

50

2	4		6				1	
			5	8			9	6
	5		1		7			8
		9		1	2	5		
	2	3				9	8	
		1	8	9		4		
6			2		3		7	
8	9			4	1			
	7				8		2	4

51

8				7	4		5	1
			6			2	7	9
6	1			9		3		
		4	5	8				
	5	6				8	2	
				2	3	4		
		5		3			9	8
4	7	9			1			
3	2		7	5				6

★ ★ ☆ ☆ ☆

52

2					3	1	8	
	1	7	9	4		6		
					8			7
	3	9	1			8	4	
5				9				6
	6	8			7	9	2	
1			4					
		4		6	2	5	1	
	7	3	5					4

★ ★ ☆ ☆ ☆

	7			9	5	2		
8					2	4	3	
1	5		6					7
				2	1	9	7	8
	4						6	
7	9	1	3	8				
5					4		8	9
	8	3	1					2
		6	5	3			4	

★★☆☆☆

54

5	7		3			1		
		9			4	6	8	
3			8	2			9	
				1	7	9	2	6
	4						5	
2	9	1	6	3				
	5			7	8			4
	1	2	5			8		
		3			6		1	7

★★☆☆☆

1	3		8				2	9
	9			2			7	
	8	7			4	1	5	
			1	9		6		7
		4				5		
6		2		3	5			
	2	8	7			3	6	
	6			8			9	
3	4				6		8	5

★★☆☆☆

56

3	9	7				4	2	5
		5	2			9		
1			3	5				6
		3			5			8
	7		9		1		4	
2			6			7		
7				8	4			2
		1			3	6		
4	3	8				1	9	7

★★☆☆☆

57

		4		8			6	2
			1	9		3		8
	7	9					5	4
	2				6			7
	6	3	8		9	4	2	
5			3				1	
1	3					7	9	
4		6		7	1			
2	8			6		5		

58

4			2	6	3			9
		2			8		3	
9		1			7	8		2
	6		8			2		
5		7				4		6
		3			4		1	
3		9	1			5		7
	4		7			6		
7			4	5	2			8

59

			9			4		6
4	5		1	3		8		
	9	6	5				1	
	4		7			6		2
8			6		5			9
2		7			8		3	
	2				1	5	7	
		5		4	9		2	1
3		8			7			

60

7			6	9			8	5
6		9		4		1		7
	1				2			
5	9	1			3	8		
		4				2		
		8	1			6	3	9
			5				6	
9		3		2		7		8
4	2			1	8			3

61

	7				9	1		
1		9			5	3		8
8			1	2	7			4
	3				4	7		
2		4				5		6
		1	9				2	
9			4	6	1			5
5		6	3			8		7
		2	5				4	

62

8		4	1				5	
	3				6	4	7	
9			3	8		6		
				5	1	2	4	7
		6				9		
1	2	7	8	4				
		2		7	3			5
	1	3	9				2	
	4				5	8		6

63

	5			8		2	4	1
	4		3	6	2			
	7		5		1			
		4	8		7			3
	1	6				8	9	
7			1		6	4		
			9		3		8	
			2	5	4		3	
9	3	2		7			5	

64

	7		3	5			2	6
	3	5		8		4	7	
4					9			
		6	4			3	5	1
		8				9		
5	2	4			1	6		
			2					3
	5	1		9		7	6	
9	8			4	6		1	

65

9				1			7	
		8	5		2	4		6
		7	3		6			8
		2			7		4	1
		4		2		3		
6	5		8			9		
5			9		4	7		
7		3	2		5	1		
	8			3				4

66

9		5		3			8	
3	6		1	7				
8		4				2	7	
		1	6					4
	8	9	3		7	5	6	
2					5	9		
	2	7				6		1
				2	1		5	8
	4			5		3		9

67

		6	8	1			9	3
2		5	7					
	9		3			6	7	
9		7	5				2	
5			6		4			8
	1				7	4		9
	8	4			6		3	
					8	1		4
1	6			2	3	5		

68

	3			6			8	
6			5		1			9
9		5	8		2	7		6
	2		4	7	5		6	
7		6				1		4
	5		6	1	9		2	
5		2	1		4	8		3
3			7		6			1
	1			5			9	

69

8				2		1	4	3
3			9	7	4			
6			8		1			
		6	1		7		3	
1	7						2	5
	3		2		6	9		
			5		9			2
			4	8	3			9
9	4	5		6				8

70

3	6			5	4		1	
5			8			3		
4		2	1				7	
	4	3		6				7
		8	4		1	6		
1				8		5	9	
	9				3	8		1
		4			9			2
	7		5	2			3	9

71

8	3	2	5					
4		6		8	7	1		
	9			2		5		6
			4	1			7	
3	1						5	4
	7			3	9			
2		1	9				4	
		5	8	4		9		3
					6	7	2	8

72

	2	8		9				4
		3		5	6	2	1	
			8			9	5	7
				7	4			6
8	1						7	3
6			1	3				
9	5	6			2			
	7	4	5	1		8		
1				4		3	9	

73

	8			6				7
		7	5		4		2	
		2	9		1	3	4	
		1			7		6	3
		3		1		5		
9	4		2			8		
	7	5	1		9	6		
	9		8		3	7		
2				5			3	

74

5			8				1	2
		7		3	5		8	
	1	3			4			9
6	2	4		1	3			
	8						7	
			4	9		2	6	1
1			9			8	3	
	6		5	2		9		
4	5				7			6

75

7				8				2
		8	4		6	5		
	4	5	2		1	8	3	
1			9	3	4			8
	8	3				9	6	
4			8	6	5			1
	1	4	6		9	7	2	
		7	3		8	6		
6				4				5

76

		3		5			6	9
				7	8	4		5
	1	7					2	3
2					4		8	
	6	4	7		5	3	9	
	9		6					1
8	4					1	7	
3		6	8	1				
9	5			6		2		

77

1		6	3	4			5	
			9			7	6	
9	7		1					3
	2	8			5			4
		5	7		1	9		
6			2			8	7	
8					3		1	2
	5	4			2			
	1			6	9	3		8

78

	9			7		1		
		4	2		1			6
7		6	8		4			5
8					6	5	1	
1				8				7
	4	3	9					2
9			4		8	3		1
6			7		3	9		
		2		5			6	

79

7			8	1			6	9
		9			2			
6	2				4	5		
2	1		6				4	8
		7		8		3		
8	5				9		7	2
		1	3				9	4
			1			6		
3	6			7	5			1

80

6		9			1			2
4			8			9	5	
		1	2	5			3	
			5	9		6	8	7
		3				1		
9	6	7		4	8			
	4			6	2	7		
	1	5			4			9
7			3			2		8

81

			8		5	7		
			2	6	9	3		
2	8	3		4		5		
	9		7		4			3
4		1				8		6
3			6		8		7	
		5		7		9	1	2
		9	3	5	2			
		4	9		1			

82

		6		7		8		
	7	2		5		4	9	
9			1		4			6
	4	5	9		3	1	7	
3			7		8			4
	8	7	4		5	6	3	
7			3		1			2
	2	3		8		9	4	
		1		4		3		

83

			1			7		
7	5			4	6		1	
		1	5				9	3
6	2				3		8	4
		4		2		5		
1	8		7				2	9
8	7				9	6		
	4		2	1			3	7
		3			8			

84

			1	9		5		4
8		9	5					2
2			3		8	7		
	9			4	5		1	
5	4						3	8
	6		8	1			4	
		5	2		1			6
1					7	8		9
4		7		5	6			

85

		1	9			5	6	
	9	7	3	6				
	4		8		5	1		
7			5	3				2
8		5				9		7
3				7	9			6
		2	1		3		9	
				9	2	7	4	
	5	6			4	3		

86

	8		1		5			6
7	1				9		8	
				7	4		3	9
		2		4	1	3		
	9	3				5	1	
		7	9	3		4		
6	3		2	9				
	4		6				7	1
9			4		8		2	

87

	2	4	5					
8			7			2		5
		6	8	9			4	7
9					6	1	3	
	5		2		7		6	
	3	2	1					4
3	8			4	5	7		
1		7			8			3
					1	6	9	

88

	7	2	8		3	4	9	
8				2				6
		4	1		5	8		
7			3	1	2			5
	5	1				3	8	
2			5	8	6			7
		5	2		8	6		
4				5				9
	2	6	9		7	5	1	

89

1				6		2	7	
	2	5	3	4			8	
9	6	4			7			
				8	5			3
8		9				5		7
3			1	9				
			2			4	3	6
	7			5	4	9	1	
	8	6		1				5

90

1					5		8	9
	7	8			9			
	3			2	1	7		5
	8	6			4			7
		9	5		8	3		
2			3			6	4	
6		1	9	7			5	
			4			2	3	
4	5		1					6

91

3			8	5				7
		9	4			6		
7	1	6				5	4	8
		7			9			3
	8		6		1		7	
5			2			4		
2	3	8				7	1	4
		1			3	2		
9				2	4			6

92

8				9				7
		4	1		5	8		
3	9			6			4	1
6	1		2		4		9	5
		2	7		9	1		
9	7		6		1		2	8
2	3			7			1	4
		9	5		2	3		
5				1				2

93

	4			1	8	5	7	
	5	2	3					6
7			2					
	8	6	7			4	2	
4				8				9
	2	1			5	3	8	
					1			5
1					9	7	3	
	9	5	6	4			1	

94

6	2			1			9	5
		5	4					
	9			6	2	3	8	
3					5	7	6	2
1								4
5	8	6	7					3
	1	4	3	5			7	
					8	2		
7	6			4			3	9

95

4					3	6	9	
8			2	5		4		3
	7				4	5		
		6		9			2	4
	9		7		6		1	
7	3			1		8		
		2	9				3	
1		3		2	7			6
	5	7	6					8

96

		1		7		8	9	4
		5	8		4			
		8	6	1	9			
8			7		5		6	
	5	4				3	2	
	6		2		3			7
			9	2	8	6		
			3		1	7		
3	9	6		5		1		

97

1		7		9		3	8	
			6	2	8			
		9					5	4
6	1	4	5					9
	5		8		6		7	
3					9	5	6	2
5	4					7		
			7	8	1			
	8	6		5		9		3

98

			1		7	9		
4	1	6		5		7		
			4	8	2	6		
6			8		1		9	
5		3				1		8
	2		9		5			6
		2	6	7	4			
		7		9		2	3	4
		5	2		3			

99

7				3		8		
	8		5		6			1
	1		9		2		4	5
5		2			1		7	
	4			9			6	
	9		8			4		3
8	6		2		9		3	
2			4		7		8	
		1		6				4

100

4	2	7		9		5		
			4			1		
				2	5	6		
6	9		2		1		7	4
7		3				2		8
5	4		3		8		1	6
		6	5	8				
		9			3			
		4		1		7	3	5

101

4	8		7	2				
	7	1				9		2
	6	5		4				3
		6	4				2	
1		4	9		5	6		8
	3				1	7		
8				5		4	6	
9		2				3	8	
				9	7		5	1

102

				3	9			5
6	2	1				3		
	9				6		8	4
2		4		6	5	9		
1			8		2			3
		6	4	7		5		8
8	7		1				9	
		3				7	5	1
5			6	4				

103

	4		8		5		7	
		2		1		4		
9	7		6		4		1	3
		8	1	5	6	3		
4	6						5	8
		3	2	4	8	1		
5	8		3		9		2	1
		9		8		7		
	2		4		1		8	

104

	1		3	7			5	4
9	6				5	1		
		4			1			
7	2		9				8	3
		5		8		7		
6	8				4		2	1
			2			9		
		3	6				4	2
4	9			1	8		7	

105

			2			8	6	7
1		6		4			9	
5				9	8	3		4
	7		4	3				
	1	3				9	5	
				1	9		7	
2		9	7	8				1
	4			6		2		5
6	3	8			5			

106

2		5			3		9	
		3		6	4			7
	7		8				1	4
			2	9		1	7	6
8								5
7	9	6		3	1			
9	6				5		4	
5			4	2		8		
	3		1			2		9

107

7		1		9		5		3
4	9		3	8				1
					6		2	
6	7	8	1			3		
		4				9		
		3			8	2	1	7
	8		9					
5				7	2		3	6
2		7		4		8		5

108

4			7			5		
8	1		6				4	7
	2		5	9	4		1	
5			2			8		
6	3						9	2
		9			7			4
	6		4	3	2		7	
1	5				8		6	3
		2			6			9

109

			7		1		8	
3	5	7		2			1	
			3	9	4		5	
5			9		7	8		
2	6						7	9
		4	8		2			5
	4		5	1	3			
	1			8		6	4	3
	2		4		6			

110

8			5		4			7
	4	7		9		1	3	
	5			1			4	
	8	9	6		1	4	2	
4			9		8			1
	6	1	4		3	8	5	
	2			8			9	
	7	8		6		3	1	
3			1		5			2

111

7			5				4	1
			2	9			8	
8	5	1				3		
	4	8	9	1		2		
	3		4		6		5	
		7		2	8	9	6	
		3				5	2	6
	8			3	7			
4	9				2			7

112

			4	9	7			
8		5		2		3	4	
		2					1	6
3			2			1	7	9
	1		7		4		5	
7	8	6			1			2
1	6					5		
	4	7		1		2		3
			8	4	5			

113

2		7	9	1				6
	6				2	3		5
					6		7	
4		9	3			1		8
	1			4			2	
8		6			7	5		4
	3		8					
7		8	5				9	
1				6	4	7		3

114

	2		9			8		5
3	1				4		6	
6			3	7		9		
			1	9		7	2	6
8								4
7	6	1		2	5			
		4		5	3			8
	3		8				7	2
2		5			1		9	

115

	8	2	9		1	3	5	
7				3				1
		3	4		8	2		
9			8	5	6			3
	3	5				6	4	
8			2	4	3			9
		7	3		5	4		
4				8				2
	9	8	6		4	7	1	

116

		5	8	4				7
	7		9			2	6	
1	9	6			2			
	8			3		6		5
	1		5		4		8	
9		7		6			3	
			6			3	7	8
	2	9			3		4	
3				5	7	1		

117

1		5	8			3		4
		8		3		7		
	3	2			6	8	1	
				7	9		8	6
	5						4	
8	2		4	1				
	6	3	5			4	9	
		7		2		6		
9		1			3	2		7

118

	9					1		3
	5	7		1			2	6
			9	6	8			
2	1	4			5	7		
9			6		2			1
		5	1			2	3	8
			2	4	6			
6	7			5		8	9	
1		3					5	

119

	4	2			7	9		
					2		3	4
3		7		8	9		5	
1	6		5			8		
5			7		4			2
		3			6		4	1
	7		2	3		1		9
8	5		6					
		1	9			6	7	

120

6	8					2		
			2	9	1			
9		4		8		5	7	
	7				5	8	3	4
8			9		4			2
1	4	6	8				5	
	1	2		5		7		9
			4	3	9			
		5					6	8

121

		1	3		8	7		
9		5				2		1
8								5
	4		1	7	2		3	
	8		9	4	6		5	
4								2
7		9				5		3
		3	6		5	8		

122

8		3				2		4
7	6						9	8
			9		6			
		5	8		2	3		
			6		7			
		4	5		1	9		
			4		3			
3	1						4	2
4		9				7		1

123

			2					3
	4			6	3		8	
	7							1
				9		1	3	
	9	1	8		7	2	4	
	5	7		2				
	8						2	
	6		3	8			5	
9					6			

★ ★ ★ ☆ ☆

124

		1	8		9	6		
6		2		3		8		9
9								4
			3		8			
8								7
			4		6			
7								2
1		4		6		5		8
		3	7		2	1		

★ ★ ★ ☆ ☆

125

3	7						1	4
9		6		2		5		3
	9		7		3		5	
8								7
	3		6		8		2	
7		9		3		2		1
5	1						8	6

126

		4	7	6		9		
		3				6		
				9			1	
				3		4		8
3		2	6		8	1		5
5		7		1				
	7		3					
		5				8		
		6		9	7	2		

127

		9	8		7	5		
	6	2		5		7	4	
3								9
	8			6			7	
			3		9			
	2			7			8	
6								8
	1	8		2		4	9	
		5	4		8	1		

128

			8	3				
6	8		5	2			3	9
		5						
5				4		1		
1			7		3			6
		3		6				5
						7		
2	4			7	9		6	1
				8	4			

129

2								3
		9	2		3	7		
	5			6			9	
3	7		8		2		5	4
			7		6			
1	2		5		4		6	7
	8			4			7	
		1	3		5	8		
6								1

130

4			7		1			8
1	9			4			6	5
		8				2		
	7			1			5	
			2		8			
	1			6			7	
		7				6		
9	8			5			3	7
3			9		7			4

131

			9	7				
								5
	6	9	1	5		4	2	
8				4			3	
	2		8		5		4	
	3			9				2
	4	7		6	3	8	1	
3								
				8	7			

132

		6	7		8	5		
9								1
5		8				4		2
	5		3	2	9		1	
	8		4	1	7		6	
3		9				8		4
8								6
		2	5		6	3		

133

	7	6		8				
		5		3	6		1	
			9					3
9			4					
		8		7		2		
					3			5
4					1			
	2		8	4		7		
				2		8	6	

★ ★ ★ ☆ ☆

134

			6		1	7		4
				5			6	
				7	3			5
4		6	9		5	1		2
	3						4	
7		1	4		8	9		3
1		8	7					
	4			1				
3		2	8		6			

★ ★ ★ ☆ ☆

135

9				8	7	4		
7		1		4				
			6				8	
					8		3	
4				9				7
	2		5					
	5				3			
				7		9		1
		6	1	5				2

136

8	9			5				
4					1			
			6		9	1		
					7	3		2
5				9				8
9		2	1					
		7	9		3			
			4					9
				8			6	4

137

			7	6	1			
9	6		8		5		7	1
	1						8	
7	4		1		6		2	3
3								6
6	2		9		4		1	7
	9						5	
1	3		6		8		9	2
			2	9	3			

138

8								7
	1	3				5	4	
9			1		3			8
	8			4			5	
4			7		5			2
	7			2			6	
6			3		9			1
	2	7				3	9	
5								6

139

1			3		2			4
6		7		9		8		3
9	5						3	7
	6	3				4	2	
7	4						8	1
5		9		7		1		2
3			1		8			5

140

5		1				6		9
	4	2		8		1	3	
1			4		7			8
		7				5		
2			5		1			3
	2	5		1		9	8	
9		3				4		7

141

7							1	6
	4			3		9		
	2	9			8			3
					9	8		1
9		7	5					
8			6			3	7	
		1		5			4	
6	7							2

142

			8	7			3	
	6	7				1		
	4	2	1			5		
					1		5	
1	2						4	9
	9		6					
		9			6	4	7	
		1				9	8	
	8			1	7			

143

		3		6		5	2	7
		8	2	1				
		9			7			
9							3	
	5	7				4	1	
	2							6
			3			6		
				4	2	8		
4	3	5		9		2		

144

6				1				5
		5	9		3	8		
	7		4		2		1	
5		4				3		9
	3						7	
2		7				6		1
	1		3		8		5	
		9	1		5	7		
4				2				8

145

				6		5	4	
1					8			6
						2	8	
9		2	3					
		7		2		6		
					1	9		8
	8	5						
7			4					3
	2	6		7				

★ ★ ★ ☆ ☆

146

		6		7		1		
7		4	1		6	9		3
			5	9	4			
3								7
		1				6		
2								8
			2	8	7			
4		8	3		1	7		5
		3		5		2		

★ ★ ★ ☆ ☆

147

	9		4		5		2	
3								1
		6	1		8	7		
9	4		6		7		8	5
2	6		5		1		3	9
		9	8		6	2		
8								4
	7		3		4		1	

148

6			7		1			4
	5		4		8		3	
		4				9		
		5	8	7	2	1		
7								8
		2	1	4	9	5		
		6				3		
	2		3		5		7	
1			2		4			9

149

				9				
6			1		8			7
	1		7		4		8	
9	5		4		2		3	8
		2		6		9		
8	6		9		5		2	1
	2		5		7		4	
5			2		1			3
				3				

150

8			3		5			9
				4				
	3		2		8		5	
5	7		1		4		9	3
		4		9		7		
3	6		7		2		1	4
	2		8		1		7	
				6				
6			5		7			1

151

6	2			7			4	1
		3	8		2	5		
		9				8		
9				4				6
			5		7			
3				8				9
		4				9		
		7	1		4	6		
2	8			5			1	3

152

		1		2		7	5	9
		6	9					
		7		1	3			
	3							2
	6	9				4	8	
7							3	
			7	8		3		
					4	2		
4	5	3		6		1		

153

		2				5		
5			2		6			8
	1		3		5		7	
4		7	9		8	2		6
6		9	4		2	7		1
	9		5		4		6	
3			1		7			9
		8				3		

154

2					4			5
	6	7						
	3	1		2				
			9			8		6
		2		3		1		
8		3			5			
				1		7	4	
						3	6	
9			6					1

155

★★★☆☆

6						5	8	
		2			6		1	
7	3				1			6
			1				3	
		4				9		
	7				4			
8			2				9	7
	9		3			1		
	6	5						2

156

★★★☆☆

				6			7	
			7		8	3		2
					2	6		1
8		2	3		4	1		5
	1						3	
7		3	5		6	9		8
4		8	2					
9		1	4		7			
	3			8				

157

		3				6		
5	8			2			7	1
		9	3		1	4		
	6			3			4	
			9		2			
	7			5			6	
		7	8		5	2		
8	4			9			1	3
		6				5		

158

		7	1	2		6		
		2				8		
5					7			
				5		1	4	
	4	5	2		3	9	8	
	3	6		8				
			8					1
		3				4		
		9		7	1	2		

159

		1		2				4
4		9	6				2	
	8					5	7	
8	4				3			
			4				5	6
	7	8					9	
	6				7	8		2
5				3		1		

160

1			6		2			7
	4		1		9		6	
		5		8		9		
	6	3				2	8	
2								5
	5	8				1	4	
		6		9		5		
	9		8		7		3	
3			4		5			6

161

	8						1	
5			8		6			7
9	7			4			8	6
			6		4			
	6						2	
			7		1			
1	5			7			6	3
4			9		2			5
	2						9	

162

5	2			9			7	8
		3				2		
	6		7		2		5	
9				1				2
			4		8			
2				3				1
	8		2		1		6	
		4				8		
3	9			6			1	7

163

			1				6	
		2	6		7			
				5			1	9
	6	3	8					
	4			6			5	
					2	7	3	
6	5			4				
			9		6	8		
	1				8			

164

1	3		8		5		7	6
			7	3	6			
	6						8	
7	9		6		3		2	4
4								3
3	2		1		9		6	7
	1						5	
			2	1	4			
6	4		3		8		1	2

165

	2			5	4			
	7		1					
	9			3		1	8	4
		7						9
8	1						6	5
4						3		
9	8	6		7			4	
					9		3	
			4	6			2	

166

		8	1	2				
		5			7			
		1		9		4	7	2
5							1	
	3	2				6	4	
	7							9
6	1	4		5		7		
			6			9		
			3	1	8			

88

167

		2				4		
		6	7		5	2		
7	5						3	9
2				9				3
		9	4		3	1		
4				1				8
1	4						5	6
		8	5		6	7		
		3				8		

168

2	9			1			3	4
	7		8		3		6	
	2	6				4	7	
3		9				8		6
	1	5				3	2	
	3		4		7		5	
1	5			2			8	7

169

		4				8		
		3	8		6	7		
9	6			2			1	5
4				1				9
			7		2			
3				8				4
6	8			7			5	3
		2	5		1	9		
		1				4		

170

6	7	9		2			4	
			3	8			7	
					6		1	
		7						1
	5	2				8	6	
3						7		
	2		5					
	3			4	7			
	4			1		9	3	5

171

	5						1	
3		2				6		4
1			5		4			3
		5		1		4		
9			4		8			6
		3		7		5		
2			9		5			8
5		6				1		9
	8						7	

172

3					4	9		6
		1		5	2			
4						7		5
		3	4					
	8	9				6	4	
					7	8		
8		2						4
			5	4		2		
9		5	7					8

173

			1	5	6			
	3			7			8	
	1	7	3		8	4	5	
		9				2		
	8						3	
		4				7		
	2	1	8		4	6	7	
	4			6			9	
			7	2	9			

174

	6						1	
7		2				3		4
4			1		7			6
		1		8		4		
2			7		5			9
		7		6		1		
5			9		1			3
9		6				2		1
	8						5	

175

	8		2		3		4	
5			7		9			1
		6		4		5		
3		5				9		7
	7						8	
8		2				4		6
		3		2		1		
9			5		4			8
	4		1		7		5	

176

	1			3	5		4	
			4					7
	6						3	
	5	2		7				
	8	6	9		3	2	7	
				6		9	1	
	2						9	
5					6			
	3		5	4			8	

177

7	4		8		1			
3	8		6					
		9		3				
6	3		9		8		2	7
		7				9		
9	1		2		5		3	4
				5		1		
					6		7	5
			1		3		6	9

178

5		1		2		6		7
	3						8	
	4		6		3		9	
8				3				9
			2		4			
7				1				8
	7		1		5		2	
	8						1	
9		5		4		3		6

179

8		7				5		4
6	3			9			2	7
		9	4		5	2		
5								6
		3	6		9	8		
3	4			2			8	9
9		6				7		1

180

9		3	1		7			
	7			9				
4		2	3		6			
2		1	7		8			6
	3						5	
6			2		5	1		3
			8		3	9		1
				7			6	
			9		4	5		7

181

8					7			4
						7	3	
				4		1	2	
					8		9	7
	5			3			4	
9	3		6					
	4	3		5				
	2	7						
5			1					6

182

				9				
	1		3		4		8	
9			8		1			2
1	9		4		6		2	7
		5		8		4		
7	2		1		9		3	6
6			9		5			3
	5		2		3		7	
				4				

183

				4	8	5	6	
						2	3	
7					3			4
					9			3
		1		6		4		
2			7					
1			8					9
	3	6						
	5	4	6	1				

184

			5	7			4	
	6	5				8		
	9	2			8	1		
			8				1	
8	2						9	3
	3				6			
		3	6			9	5	
		8				3	7	
	7		5	8				

185

	7		3		1		4	
5			2		7			9
		3				7		
	1	8	6		3	9	5	
	6	9	8		4	3	1	
		4				2		
8			7		6			1
	2		5		9		8	

186

			7				4	
		7	5		1			
				2			9	5
					7	8	5	
	9			5			2	
	8	6	3					
1	4			9				
			6			5	3	
	5				4			

187

9			7		1			4
		2	6		4	8		
	4						7	
1	7		5		9		2	3
8	2		3		7		5	1
	6						9	
		1	4		3	5		
5			8		2			6

188

2			1		5			8
5	7			6			3	9
3		5				4		6
	2	1				9	5	
8		7				2		3
1	8			3			6	4
4			7		8			5

189

	3		7			5		9
		5		3				1
6	2						4	
					8	4	5	
	6	7	5					
	9						2	4
1				8		6		
4		3			2		7	

190

3		7					1	
	1		5			6	9	
		5	1					8
			2			9		
4								2
		6			5			
5					6	4		
	9	4			8		7	
	8					1		3

191

1	3						8	2
	6	4		9		7	3	
6			3		1			7
	5						1	
3			5		4			9
	1	6		3		9	2	
2	7						4	5

192

		4			5			
		3		2		6	7	5
		1	3	7				
	4							3
9		7				8		6
5							2	
				9	3	1		
3	8	6		4		5		
			8			2		

193

	6		8		4		7	
	4	8		3		6	1	
		5				8		
			4		3			
		2				4		
			6		5			
		1				2		
	9	4		6		7	5	
	7		1		2		3	

194

			9		4		5	3
				5		9		
			6		3		2	8
4	3		7		8		6	
		7				3		
	6		1		9		8	4
5	4		3		1			
		6		9				
7	9		2		5			

195

	9	1		8	4			
					3			7
		5						
9	1		7					5
		8		9		6		
3					2		7	9
						9		
2			4					
			9	6		8	1	

196

7		4				1		9
				7				
	2			1	4	5		8
	9	8	7					
	7						9	
					8	7	2	
2		9	6	5			3	
				4				
4		5				6		7

197

6	3						1	
	8				9	2		4
		2		8				5
	6	9			2			
			7			1	2	
5				7		6		
1		8	3				9	
	4						3	1

198

9								7
		4	5		3	2		
	8		1		7		6	
2		8	7		5	9		4
4		3	6		8	1		5
	4		8		1		2	
		6	3		9	7		
1								3

199

1			7					
				3		9	2	
	8					4		
5					6		9	
	1	8		4		3	6	
	3		1					7
		9					5	
	4	3		8				
					2			6

200

	1			5			9	
		9	1		2	4		
4			7		8			5
2	3						8	1
		1				6		
8	6						4	9
9			5		3			2
		7	6		9	3		
	5			8			1	

201

		3	9		6			
					3			5
				2			6	1
7		4			8			
1				6				2
			3			7		6
5	9			1				
6			5					
			6		4	8		

202

	8		1	7	6		9	
	7	9	2		3	8	1	
2	1		9		8		5	6
9								1
7	5		3		1		4	8
	9	4	8		2	5	6	
	2		6	1	7		8	

203

1	8		6		7		9	3
	3		9	8	5		1	
	9	6	1		3	5	4	
		1				9		
	4	8	7		9	3	2	
	6		5	9	8		3	
2	1		3		6		5	4

★ ★ ★ ☆ ☆

204

	3						9	
		1		8		2		
2			3		9			6
	5	3	1		4	8	6	
			6		8			
	9	6	7		3	1	4	
5			9		1			7
		7		4		6		
	8						5	

★ ★ ★ ☆ ☆

205

		7	1		6	4		
	2	4					1	5	
6								7
	6			7			1	
		8	3		1	5		
	4			9			6	
3								9
	5	6				8	7	
		2	6		8	3		

206

7	5		9		1			
6	8				7			
		9		8				
3	6		5		2		7	1
		5				6		
1	4		3		8		5	9
				1		5		
			7				1	2
			2		9		6	4

207

	1		4		5		9	
		4		6		1		
9			2		8			6
5		3				8		4
	4						7	
8		7				9		1
1			6		3			5
		6		8		4		
	2		7		1		3	

208

	3		6		2		9	
9				5				7
		8				3		
1		3	2		5	7		8
			7		8			
7		6	9		1	5		2
		1				6		
2				8				4
	4		1		6		7	

209

2	7		4	3			1	5
			5	2				
						4		
	4			1		2		
	1		8		2		9	
		9		6			4	
		8						
				5	6			
1	9			8	7		3	6

210

					5	9		
1			3	9			2	
3	6			2				
			9			8		
2				1				3
		4			7			
				3			1	6
	5			7	6			4
		7	8					

211

		1	8		9	3		
5		4		2		7		1
9								8
			3		5			
8								5
			7		2			
7								6
6		5		3		9		2
		2	5		6	1		

212

	6				7		4	
5		9		6				
2		3						
9	1				4			
6				9				5
			8				3	1
						3		9
				5		7		2
	8		3				5	

213

4	5				1			
		2		5				
1	9		2		8			
8	7		6		5		9	2
		9				4		
6	4		9		3		1	8
			3		2		4	7
				8		9		
			1				8	3

214

			1		8			
7	1						4	8
	8	5				3	7	
		2	4		9	1		
			3		6			
		8	7		2	5		
	9	1				4	8	
6	3						9	5
			6		5			

215

			4				2	
3		9	8	1				
		5						
9	3				2		5	
		1		3		6		
	4		7				3	2
						3		
				6	3	1		9
	7				8			

216

9			7		4			6
		4				9		
	2		9		5		3	
8		3	6		1	4		7
7		1	4		8	3		2
	1		8		9		7	
		6				5		
5			3		2			1

217

5		4	2		8	9		1
			5	9	4			
		8				5		
4		5	7		1	6		9
9								3
3		6	9		5	7		4
		2				1		
			3	1	6			
6		1	8		9	3		5

218

1	2						9	4
	9	3				6	8	
			4		1			
		8	5		7	4		
			1		2			
		5	9		6	3		
			8		3			
	8	4				2	7	
7	3						6	8

219

		5				9		
4	1						7	8
8			9		4			5
	4			5			9	
1			4		3			6
	9			2			8	
3			6		9			7
6	5						1	9
		2				3		

220

	3	5	4		9			
	4	7	6		8			
1				5				
	7	8	2		3	1		
3								8
		1	5		6	2	7	
				4				5
			8		1	9	2	
			7		5	4	8	

221

	1							5
		7			8			
5				9			4	6
			9		3	8		
2				4				9
		5	7		2			
9	6			2				8
			1			3		
4							2	

222

9			5	8				
8			6		3	2	1	
		3				5		
					4		5	6
		4				9		
3	7		9					
		2				6		
	5	9	1		7			4
				6	5			1

223

★★★★☆

							6	
					3			
	4			7	8			
7						8		3
6				2				5
9		1						4
			6	5			9	
			1					
	8							

224

★★★★☆

5					8			3
3	6				7	4		
	7		1			2		
6	9							
		4				1		
							8	7
		7			3		1	
		3	4				2	5
2			8					4

225

	2		4					7
	9		1				5	
6		3						
5		7	3				8	
			5		2			
	8				7	5		1
						1		6
	6				1		2	
3					6		7	

226

7								1
		2	7		6		3	9
		5		2	1			
	4	7			5			
8								5
			8			6	1	
			1	6		3		
5	1		4		3	8		
9								6

227

	2				3		6	7
9				1		8		
					7			2
					8	6		1
	6						4	
7		5	2					
5			9					
		2		4				6
8	4		3				1	

228

3	1		8			2		
	2			6			8	
		7	2					
					3		5	9
		8				6		
1	5		7					
					4	3		
	3			2			6	
		9			1		7	4

229

		2		8				3
4			1					
1	5		7				4	
8		5	2					
	6						5	
					4	9		1
	8				7		6	2
					3			9
5				6		4		

230

3								
			8	6				2
				3			6	7
	4			5		8		
	3		2		6		1	
		9		3			4	
2	9		7					
7				1	5			
								1

231

		5						1
			2					
			9	7	3			
7	2							
8				6				3
							4	5
			1	8	4			
					5			
9						7		

232

		8		2		3		7
	4				8			
1						6		
	5		9		2			
		3		7		2		
			3		4		1	
		7						2
			5				9	
8		6		3		5		

233

	4		9		2			
		3				8	6	
						7		4
1				5				
	9		4		7		3	
				1				5
5		8						
	6	7				9		
			8		1		4	

234

1				6		8		3
	8	7	1					
			4			9		
		1			6	4	9	
	7						5	
	9	5	8			2		
		2			9			
					5	6	2	
9		3		8				5

235

	4			1			2	6
		8			4			
5							9	
		3	7		1			
	5			9			1	
			5		8	4		
	2							3
			6			7		
9	1			5			6	

236

4	9		8					
	6			9				
	3	5						
7		9	6			2		
3			4		8			5
		4			3	1		7
						3	6	
				1			7	
					2		4	1

237

4		7			6		5	
1				3				2
	2				7			
			4			6		8
	1						9	
8		5			2			
			3				4	
9				1				3
	3		9			2		6

238

5	1	7						
8			7		4			
		4	9	5				
				2	5	6		
	7						3	
		2	1	4				
				8	9	3		
			6		3			5
						4	9	1

239

	3							6
		9	5					
2				3			1	7
		2	7		9			
7				6				3
			8		3	4		
1	6			7				4
					2	8		
4							5	

240

			6			1		
1			7			6		3
		9		8			2	
			2			8	3	
3								4
	5	6			1			
	1			4		3		
4		2			7			8
		5			9			

241

			8	9				1
					2			
	9					7		3
		6		1				5
		9	5		6	1		
3				7		2		
7		3					5	
			4					
4				5	8			

242

	5							
			2					
			8	9			6	
2		6				1		
		8		4		9		
		3				7		5
	1			3	5			
					7			
							8	

243

3		4			2			
	2			9			6	4
					8			7
2			9			7		8
		3				1		
1		7			4			5
5			7					
6	7			4			1	
			1			5		9

244

8			4	1				
							6	
			5					
9						5		8
1				3				4
2		6						7
					2			
	4							
			7	6		9		

245

		6			9	7		
8	1							
		4			5			3
7	3				1	2		
			4		7			
		2	3				7	9
1			8			3		
							9	8
		8	9			4		

246

3						4		5
		2	6		7			
							2	8
	9			1				
		7	8		2	3		
				9			1	
5	1							
			9		5	2		
8		4						7

247

		9	8					
2		5		7				6
			6			4	5	
		3	5			1	9	
	1						4	
	9	8			7	6		
	3	7			1			
1				5		2		9
					9	3		

248

8			3		6	7	9	
		6				5		
1			5	8				
					2		5	3
		2				1		
6	4		1					
				3	5			9
		7				3		
	5	1	9		4			2

249

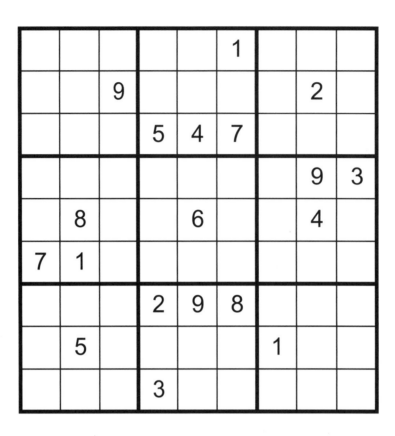

★★★★☆

					1			
		9					2	
			5	4	7			
							9	3
	8			6			4	
7	1							
			2	9	8			
	5					1		
			3					

250

★★★★☆

			6			7		5
7			8					
2	8			1			6	
9			5			8		3
		4				6		
6		8			1			7
	9			5			2	1
					3			8
4		1			9			

251

8							2	9
	1		6		7			
						3		6
		3		7				
	5		1		9		8	
				3		7		
9		1						
			8		4		1	
6	2							5

252

	7				5			3
						9	2	
4					1			8
6					9	7	4	
			3		4			
	1	4	7					6
3			1					2
	2	1						
7			2				9	

253

		5	6		9			
	7					3	8	
							2	5
				4				1
		6	5		2	7		
4				1				
1	8							
	2	3					6	
			8		4	5		

254

			1				6	
5						3		
7		2		3				9
			7		6		9	
3				5				7
	8		4		3			
8				7		5		2
		1						8
	4				9			

255

2			5					
	5			7		8	1	
		3					6	
			2		3			5
	3			6			7	
9			7		4			
	1					9		
	7	6		3			8	
					8			4

256

	8			4				6
		3	1					
	9	5					2	
5				6				4
			3		1			
1				9				7
	4					9	5	
					3	6		
6				2			8	

257

2							7	
			8			3		
9	4			5				8
		7	3		9			
5				4				9
			5		6	1		
1				9			8	2
		6			1			
	5							4

258

	5			2	7			
	4		5		3	7		6
2								1
	2	7			4			
6								4
			6			3	8	
7								8
1		5	2		8		9	
			7	9			6	

259

6		5				1		
9					8			
		3		4			9	
	1			9			5	
			8		2			
	7			6			2	
	9			1		3		
			2					8
		4				6		5

260

6	4		1					
								1
9				4	7			
	3			1		5		
	2		4		9		1	
		7		8			3	
			8	2				6
2								
				6			5	9

261

		1		4	7		6	
	9							3
					3			8
					8			
	7						1	
			5					
5			2					
3							4	
	2		1	9		6		

262

		9	8					
				2			5	6
	4						8	7
			3			8		
1				5				2
		7			9			
5	8						1	
2	6			1				
				4	3			

263 ★★★★★

								9
	8		5	6				
				2		1		4
	6				8			
4	5			9			1	2
			3				7	
1		9		4				
				7	6		3	
7								

264 ★★★★★

	1	8		7		9		4
		9						
					4			5
4					2			
		7		1		6		
			5					9
2			3					
							1	
9		4		6		7	8	

137

265

★ ★ ★ ★ ★

	1				6			7
	5							
	9	8		4				
			1					3
	4			8			9	
2					7			
				9		6	5	
							8	
1			3				7	

266

★ ★ ★ ★ ★

		5	3					
				6				4
		1					9	
		3				5		
	6			4			2	
		8				1		
	2					9		
7				9				
				8	3			

267

★
★
★
★
★

7		8		5		4		2
	1	9	3					
							3	
	5				7	2		
			6		1			
		4	9				8	
	6							
					4	5	7	
8		7		1		3		9

268

★
★
★
★
★

			4					8
	3							7
		2		7				
4								9
	5			6			3	
8								1
				5		6		
9							7	
1					8			

269

		1	6					5
	4	2			3		8	
	8						4	
		7		5	2			
	6						1	
			8	1		3		
	9						2	
	3		9			6	7	
7					4	8		

270

		4		8				
					6	5		
		3						9
5								1
	8			2			6	
7								3
6						2		
		1	3					
				7		4		

271

								9
9	6			4		5		2
	7		6					
			8				6	
1				5				4
	9				7			
					3		8	
4		2	1				9	6
5								

★ ★ ★ ★ ★

272

4			2	9				3
		9						
	8	6		4				
					5			7
		4		8		6		
1			3					
				6		9	2	
							8	
5				1	7			6

★ ★ ★ ★ ★

141

273

						7		
1					4	2		
				3		9	8	
6			2					
		9		8		3		
					1			5
	4	7		9				
		1	6					2
		8						

274

2		7				4		
							2	3
	1		7		4			
5				4	2			
	6	2				3	5	
			6	9				4
			1		8		3	
6	3							
		8				5		6

275 ★★★★★

	4				2			3
		9				5		
	7	3	5			1		
				6	9		3	
		8				7		
	1		4	8				
		4			1	2	9	
		2				4		
6			7				8	

276 ★★★★★

							4	
	4			6		5		
9		8						
			7				6	1
	5						3	
8	2				9			
						8		7
		3		2			1	
	6							

277

2								
		7	1	9		4		
6	5			7				
		1	4					
7				2				8
					3	9		
				8			2	7
		3		6	5	8		
								6

278

	5	7	9		8			
								3
				4			5	
		1						
5				3				6
						7		
	4			6				
2								
			1		7	8	9	

279

5		8		3			7	2
2								
			7				6	
					6		2	
3				8				4
	7		1					
	1				9			
								8
7	2			4		5		3

Solutions

1

1	9	3	4	7	5	2	6	8
4	6	2	1	8	9	7	3	5
7	5	8	2	3	6	9	1	4
2	7	4	8	5	1	3	9	6
9	8	1	6	2	3	5	4	7
5	3	6	7	9	4	8	2	1
8	4	7	3	1	2	6	5	9
3	1	5	9	6	7	4	8	2
6	2	9	5	4	8	1	7	3

2

5	8	6	3	1	7	9	2	4
7	3	1	9	4	2	8	6	5
2	9	4	6	8	5	7	1	3
6	5	7	4	3	1	2	9	8
1	2	8	5	6	9	4	3	7
3	4	9	7	2	8	1	5	6
4	6	2	8	9	3	5	7	1
9	7	3	1	5	4	6	8	2
8	1	5	2	7	6	3	4	9

3

3	1	6	7	8	4	9	2	5
4	7	9	5	1	2	3	6	8
2	8	5	9	6	3	1	7	4
6	9	7	1	3	5	4	8	2
1	5	2	4	7	8	6	3	9
8	4	3	6	2	9	5	1	7
7	2	4	3	9	1	8	5	6
5	3	8	2	4	6	7	9	1
9	6	1	8	5	7	2	4	3

4

8	9	5	7	2	3	1	4	6
6	3	4	8	1	9	2	5	7
7	2	1	4	6	5	9	8	3
5	4	2	6	3	7	8	9	1
9	6	8	1	5	4	7	3	2
3	1	7	2	9	8	4	6	5
1	7	9	5	4	6	3	2	8
2	5	3	9	8	1	6	7	4
4	8	6	3	7	2	5	1	9

5

4	7	5	6	1	9	3	2	8
9	3	8	2	4	5	6	1	7
2	6	1	7	3	8	4	9	5
1	4	6	5	7	3	9	8	2
3	8	2	1	9	6	5	7	4
5	9	7	4	8	2	1	3	6
8	5	4	9	2	1	7	6	3
6	1	3	8	5	7	2	4	9
7	2	9	3	6	4	8	5	1

6

6	4	8	2	7	3	5	9	1
7	2	9	1	4	5	6	3	8
5	1	3	6	8	9	2	7	4
8	6	5	4	1	7	9	2	3
9	7	1	3	2	8	4	6	5
2	3	4	5	9	6	8	1	7
1	9	6	8	3	4	7	5	2
3	8	7	9	5	2	1	4	6
4	5	2	7	6	1	3	8	9

7

9	2	1	6	5	7	3	4	8
3	7	8	4	2	9	5	1	6
6	5	4	8	3	1	2	9	7
4	6	3	1	8	2	9	7	5
8	9	5	3	7	6	4	2	1
7	1	2	9	4	5	6	8	3
2	3	7	5	9	8	1	6	4
5	8	6	2	1	4	7	3	9
1	4	9	7	6	3	8	5	2

8

6	3	5	8	7	9	4	2	1
1	2	9	4	5	6	8	3	7
7	8	4	3	2	1	9	6	5
9	1	2	7	8	5	3	4	6
5	7	3	2	6	4	1	8	9
4	6	8	9	1	3	5	7	2
2	5	6	1	4	8	7	9	3
3	4	1	6	9	7	2	5	8
8	9	7	5	3	2	6	1	4

9

2	6	5	1	3	8	7	9	4
9	8	7	5	4	6	2	3	1
4	3	1	2	9	7	8	6	5
8	2	3	6	5	4	9	1	7
7	1	9	8	2	3	4	5	6
6	5	4	9	7	1	3	2	8
1	4	6	3	8	2	5	7	9
5	7	2	4	6	9	1	8	3
3	9	8	7	1	5	6	4	2

Solutions

10

3	9	6	1	7	8	4	2	5
4	2	7	5	6	3	9	1	8
1	8	5	2	9	4	3	6	7
6	1	2	8	5	9	7	4	3
7	5	3	6	4	2	1	8	9
9	4	8	3	1	7	2	5	6
2	6	1	7	3	5	8	9	4
5	3	4	9	8	1	6	7	2
8	7	9	4	2	6	5	3	1

11

3	5	7	6	9	4	2	1	8
1	2	9	8	5	7	4	3	6
8	6	4	3	1	2	7	5	9
5	8	3	9	7	6	1	4	2
2	9	1	4	8	3	6	7	5
7	4	6	1	2	5	9	8	3
4	3	5	7	6	9	8	2	1
9	1	2	5	4	8	3	6	7
6	7	8	2	3	1	5	9	4

12

3	1	7	8	9	4	6	2	5
2	4	8	5	1	6	9	7	3
6	5	9	7	2	3	1	8	4
9	6	1	4	8	5	2	3	7
7	2	4	3	6	1	5	9	8
5	8	3	9	7	2	4	1	6
1	3	2	6	4	8	7	5	9
4	7	5	1	3	9	8	6	2
8	9	6	2	5	7	3	4	1

13

2	6	4	9	7	3	5	1	8
5	7	3	1	4	8	9	6	2
8	9	1	5	6	2	3	4	7
1	2	6	4	8	5	7	3	9
4	5	8	3	9	7	6	2	1
9	3	7	2	1	6	8	5	4
7	8	5	6	2	1	4	9	3
6	1	9	7	3	4	2	8	5
3	4	2	8	5	9	1	7	6

14

7	8	5	4	2	9	6	3	1
4	1	3	6	5	8	9	7	2
9	6	2	7	3	1	8	5	4
5	2	9	1	7	6	4	8	3
6	4	8	3	9	5	2	1	7
1	3	7	8	4	2	5	6	9
8	7	4	2	6	3	1	9	5
2	9	6	5	1	7	3	4	8
3	5	1	9	8	4	7	2	6

15

1	5	6	4	7	9	2	3	8
9	8	2	6	3	1	4	7	5
7	3	4	8	2	5	9	1	6
8	7	5	2	9	4	3	6	1
2	6	1	3	5	8	7	4	9
3	4	9	7	1	6	5	8	2
4	1	3	5	8	2	6	9	7
5	9	7	1	6	3	8	2	4
6	2	8	9	4	7	1	5	3

16

4	1	2	5	6	7	3	8	9
9	6	8	3	1	4	2	7	5
3	5	7	9	2	8	6	1	4
6	7	5	4	9	2	1	3	8
2	8	9	7	3	1	4	5	6
1	3	4	8	5	6	7	9	2
7	4	1	2	8	9	5	6	3
5	9	6	1	4	3	8	2	7
8	2	3	6	7	5	9	4	1

17

7	4	2	5	9	6	3	8	1
6	1	5	8	2	3	9	7	4
3	9	8	4	1	7	6	5	2
1	3	7	2	6	8	4	9	5
8	5	6	7	4	9	2	1	3
4	2	9	1	3	5	7	6	8
5	6	3	9	8	2	1	4	7
9	8	4	3	7	1	5	2	6
2	7	1	6	5	4	8	3	9

18

5	9	1	2	3	8	6	4	7
2	6	7	4	1	9	8	5	3
4	3	8	7	6	5	1	2	9
1	8	5	9	7	4	3	6	2
9	4	3	6	5	2	7	1	8
7	2	6	1	8	3	5	9	4
3	1	2	5	9	7	4	8	6
6	7	9	8	4	1	2	3	5
8	5	4	3	2	6	9	7	1

Solutions

19

1	2	9	5	7	3	6	8	4
6	7	8	1	4	2	3	5	9
3	5	4	9	8	6	7	1	2
8	1	5	2	9	7	4	3	6
4	9	6	8	3	5	1	2	7
7	3	2	6	1	4	5	9	8
9	6	3	7	2	1	8	4	5
2	4	7	3	5	8	9	6	1
5	8	1	4	6	9	2	7	3

20

9	1	8	5	4	6	2	3	7
6	4	5	3	7	2	9	1	8
3	2	7	1	9	8	6	5	4
5	9	6	7	2	4	1	8	3
4	3	2	6	8	1	5	7	9
7	8	1	9	5	3	4	2	6
1	7	3	2	6	9	8	4	5
2	6	4	8	3	5	7	9	1
8	5	9	4	1	7	3	6	2

21

3	5	1	8	7	6	2	4	9
6	8	9	4	2	5	3	1	7
7	4	2	1	9	3	6	5	8
2	6	5	9	3	4	7	8	1
9	1	4	2	8	7	5	3	6
8	3	7	6	5	1	4	9	2
5	9	8	3	6	2	1	7	4
4	2	3	7	1	9	8	6	5
1	7	6	5	4	8	9	2	3

22

5	3	7	6	1	8	9	4	2
1	6	2	7	4	9	5	8	3
8	4	9	5	3	2	6	7	1
3	5	1	9	8	7	2	6	4
7	8	6	4	2	3	1	5	9
2	9	4	1	5	6	8	3	7
6	2	3	8	7	1	4	9	5
4	1	8	3	9	5	7	2	6
9	7	5	2	6	4	3	1	8

23

4	6	8	2	9	7	1	5	3
1	9	3	5	8	6	4	7	2
7	2	5	4	1	3	6	9	8
6	7	2	9	5	8	3	4	1
3	5	1	6	4	2	7	8	9
8	4	9	7	3	1	2	6	5
5	1	4	3	7	9	8	2	6
2	3	7	8	6	5	9	1	4
9	8	6	1	2	4	5	3	7

24

7	4	8	1	5	6	3	9	2
6	3	1	7	9	2	8	5	4
2	9	5	3	4	8	7	1	6
1	2	9	5	6	7	4	8	3
5	7	6	8	3	4	9	2	1
3	8	4	2	1	9	6	7	5
8	5	2	6	7	3	1	4	9
4	6	7	9	2	1	5	3	8
9	1	3	4	8	5	2	6	7

25

8	2	4	7	6	3	9	1	5
5	7	1	2	4	9	6	3	8
3	9	6	8	5	1	7	4	2
7	4	2	5	9	8	3	6	1
1	5	8	3	7	6	2	9	4
9	6	3	4	1	2	5	8	7
4	1	9	6	2	7	8	5	3
6	8	7	1	3	5	4	2	9
2	3	5	9	8	4	1	7	6

26

1	6	8	2	7	9	5	4	3
7	4	3	5	6	1	9	8	2
5	9	2	8	3	4	1	6	7
3	5	1	4	8	6	2	7	9
9	2	6	1	5	7	8	3	4
4	8	7	9	2	3	6	5	1
6	1	9	3	4	8	7	2	5
2	7	4	6	1	5	3	9	8
8	3	5	7	9	2	4	1	6

27

1	3	8	2	6	7	9	4	5
5	7	4	9	3	8	2	6	1
2	9	6	1	5	4	7	3	8
9	5	1	6	4	2	3	8	7
6	2	7	8	9	3	5	1	4
4	8	3	5	7	1	6	2	9
8	1	5	3	2	9	4	7	6
3	4	9	7	1	6	8	5	2
7	6	2	4	8	5	1	9	3

Solutions

28

2	5	1	8	4	9	7	3	6
8	3	6	1	5	7	2	4	9
9	4	7	6	3	2	8	5	1
5	7	9	2	6	1	3	8	4
3	1	4	7	8	5	6	9	2
6	8	2	4	9	3	5	1	7
7	9	5	3	2	4	1	6	8
4	2	8	5	1	6	9	7	3
1	6	3	9	7	8	4	2	5

29

5	7	6	4	1	2	9	3	8
8	3	1	5	9	6	4	7	2
4	2	9	7	8	3	5	6	1
9	6	2	3	4	1	8	5	7
7	4	5	9	6	8	1	2	3
3	1	8	2	7	5	6	4	9
6	5	7	1	2	9	3	8	4
1	8	4	6	3	7	2	9	5
2	9	3	8	5	4	7	1	6

30

2	5	8	9	1	7	3	6	4
3	4	7	5	2	6	8	1	9
6	1	9	4	8	3	2	5	7
9	7	2	1	6	5	4	8	3
1	3	4	8	7	9	5	2	6
8	6	5	2	3	4	9	7	1
7	2	6	3	4	8	1	9	5
4	9	1	6	5	2	7	3	8
5	8	3	7	9	1	6	4	2

31

5	4	7	9	6	1	8	2	3
2	6	9	3	8	4	1	5	7
8	1	3	5	2	7	4	9	6
6	5	8	7	4	3	2	1	9
7	3	2	1	9	8	5	6	4
1	9	4	2	5	6	7	3	8
3	2	5	4	7	9	6	8	1
9	7	6	8	1	2	3	4	5
4	8	1	6	3	5	9	7	2

32

3	9	8	1	4	6	5	7	2
1	7	6	5	8	2	9	3	4
2	4	5	9	3	7	1	6	8
8	5	1	6	9	4	3	2	7
9	3	7	8	2	5	4	1	6
4	6	2	7	1	3	8	9	5
6	8	3	4	7	9	2	5	1
5	1	9	2	6	8	7	4	3
7	2	4	3	5	1	6	8	9

33

7	2	6	9	8	4	1	5	3
1	5	9	3	2	7	4	6	8
4	8	3	5	6	1	9	7	2
9	3	8	1	7	6	2	4	5
6	1	5	4	3	2	7	8	9
2	4	7	8	9	5	6	3	1
3	9	2	7	4	8	5	1	6
8	7	1	6	5	9	3	2	4
5	6	4	2	1	3	8	9	7

34

4	6	3	1	5	9	7	8	2
8	5	2	3	6	7	1	9	4
9	1	7	2	4	8	3	6	5
6	7	8	5	9	3	2	4	1
5	3	1	6	2	4	9	7	8
2	4	9	8	7	1	5	3	6
1	8	4	7	3	2	6	5	9
3	9	6	4	1	5	8	2	7
7	2	5	9	8	6	4	1	3

35

6	8	7	9	3	1	2	5	4
1	4	5	8	6	2	3	9	7
3	2	9	5	4	7	8	1	6
9	7	3	1	8	4	6	2	5
2	6	1	7	5	3	9	4	8
8	5	4	6	2	9	7	3	1
5	1	6	2	9	8	4	7	3
7	3	2	4	1	6	5	8	9
4	9	8	3	7	5	1	6	2

36

4	9	8	7	2	1	3	6	5
7	2	1	3	6	5	9	4	8
6	5	3	9	8	4	7	1	2
9	4	6	2	1	8	5	3	7
8	1	7	4	5	3	2	9	6
2	3	5	6	9	7	1	8	4
5	6	9	8	3	2	4	7	1
3	7	2	1	4	6	8	5	9
1	8	4	5	7	9	6	2	3

Solutions

37

8	3	6	4	9	5	2	1	7
7	2	5	1	3	8	9	4	6
9	4	1	6	2	7	8	5	3
3	1	7	2	8	6	5	9	4
5	6	4	7	1	9	3	8	2
2	9	8	3	5	4	6	7	1
6	8	3	9	4	1	7	2	5
4	5	2	8	7	3	1	6	9
1	7	9	5	6	2	4	3	8

38

6	9	1	7	3	8	2	5	4
3	2	7	4	5	1	8	6	9
5	8	4	2	9	6	3	1	7
2	4	8	5	1	7	9	3	6
7	1	3	6	2	9	5	4	8
9	5	6	8	4	3	7	2	1
4	7	9	3	6	5	1	8	2
1	6	5	9	8	2	4	7	3
8	3	2	1	7	4	6	9	5

39

7	3	2	5	4	1	6	9	8
6	5	9	3	7	8	2	4	1
4	8	1	6	2	9	5	3	7
8	2	7	9	3	5	4	1	6
5	1	3	2	6	4	8	7	9
9	6	4	8	1	7	3	5	2
3	7	8	1	5	6	9	2	4
2	4	6	7	9	3	1	8	5
1	9	5	4	8	2	7	6	3

40

7	3	6	1	2	4	5	9	8
5	1	9	8	3	7	4	6	2
4	8	2	5	6	9	3	7	1
2	9	3	4	1	5	7	8	6
6	4	5	2	7	8	1	3	9
1	7	8	3	9	6	2	4	5
9	6	4	7	5	1	8	2	3
8	2	1	9	4	3	6	5	7
3	5	7	6	8	2	9	1	4

41

7	3	8	2	9	1	4	6	5
9	1	5	4	3	6	7	8	2
4	6	2	5	7	8	9	1	3
5	7	3	6	1	9	2	4	8
2	8	9	3	4	7	6	5	1
6	4	1	8	5	2	3	9	7
3	9	4	7	8	5	1	2	6
1	5	6	9	2	3	8	7	4
8	2	7	1	6	4	5	3	9

42

7	8	5	1	9	4	2	3	6
6	4	2	7	3	5	9	1	8
1	3	9	8	6	2	7	5	4
8	6	7	4	2	1	3	9	5
3	2	4	9	5	6	8	7	1
5	9	1	3	7	8	6	4	2
2	1	3	5	8	9	4	6	7
4	7	6	2	1	3	5	8	9
9	5	8	6	4	7	1	2	3

43

2	5	1	7	4	3	9	6	8
3	9	4	6	2	8	5	1	7
6	8	7	9	5	1	3	4	2
8	3	6	2	7	4	1	5	9
7	1	5	3	9	6	8	2	4
9	4	2	8	1	5	6	7	3
5	7	9	1	8	2	4	3	6
4	2	3	5	6	9	7	8	1
1	6	8	4	3	7	2	9	5

44

2	5	3	9	6	7	8	1	4
8	9	1	2	4	3	6	5	7
7	4	6	1	8	5	9	3	2
5	3	4	6	1	2	7	9	8
1	2	8	5	7	9	4	6	3
6	7	9	4	3	8	5	2	1
3	1	5	8	9	4	2	7	6
4	6	2	7	5	1	3	8	9
9	8	7	3	2	6	1	4	5

45

9	7	2	1	4	3	6	8	5
8	5	1	7	2	6	9	3	4
6	3	4	9	5	8	7	1	2
2	1	9	4	6	7	8	5	3
4	8	7	3	1	5	2	9	6
5	6	3	2	8	9	1	4	7
1	2	5	8	7	4	3	6	9
3	4	8	6	9	2	5	7	1
7	9	6	5	3	1	4	2	8

Solutions

46

8	9	4	6	2	7	3	1	5
1	7	6	5	9	3	4	2	8
5	3	2	1	4	8	7	9	6
4	8	1	3	6	2	5	7	9
9	5	3	7	1	4	6	8	2
2	6	7	8	5	9	1	4	3
6	2	5	4	8	1	9	3	7
7	4	8	9	3	5	2	6	1
3	1	9	2	7	6	8	5	4

47

8	2	7	4	6	3	9	1	5
4	1	9	8	5	2	6	7	3
6	3	5	9	7	1	2	8	4
9	6	4	5	3	8	7	2	1
2	5	8	1	9	7	3	4	6
3	7	1	6	2	4	5	9	8
5	4	6	7	8	9	1	3	2
7	8	3	2	1	6	4	5	9
1	9	2	3	4	5	8	6	7

48

6	2	1	7	9	4	3	8	5
3	7	5	1	8	6	9	4	2
4	9	8	3	2	5	1	6	7
8	5	6	4	3	2	7	1	9
2	4	7	9	6	1	5	3	8
9	1	3	5	7	8	6	2	4
5	8	2	6	1	9	4	7	3
1	3	9	2	4	7	8	5	6
7	6	4	8	5	3	2	9	1

49

3	5	7	4	9	1	6	8	2
1	6	4	2	8	7	3	5	9
9	8	2	5	3	6	1	4	7
2	7	8	3	1	4	9	6	5
5	3	6	9	7	2	8	1	4
4	9	1	8	6	5	2	7	3
7	1	9	6	5	3	4	2	8
6	4	3	7	2	8	5	9	1
8	2	5	1	4	9	7	3	6

50

2	4	8	6	3	9	7	1	5
1	3	7	5	8	4	2	9	6
9	5	6	1	2	7	3	4	8
4	8	9	3	1	2	5	6	7
5	2	3	4	7	6	9	8	1
7	6	1	8	9	5	4	3	2
6	1	4	2	5	3	8	7	9
8	9	2	7	4	1	6	5	3
3	7	5	9	6	8	1	2	4

51

8	9	2	3	7	4	6	5	1
5	4	3	6	1	8	2	7	9
6	1	7	2	9	5	3	8	4
2	3	4	5	8	6	9	1	7
9	5	6	1	4	7	8	2	3
7	8	1	9	2	3	4	6	5
1	6	5	4	3	2	7	9	8
4	7	9	8	6	1	5	3	2
3	2	8	7	5	9	1	4	6

52

2	4	5	6	7	3	1	8	9
8	1	7	9	4	5	6	3	2
3	9	6	2	1	8	4	5	7
7	3	9	1	2	6	8	4	5
5	2	1	8	9	4	3	7	6
4	6	8	3	5	7	9	2	1
1	5	2	4	3	9	7	6	8
9	8	4	7	6	2	5	1	3
6	7	3	5	8	1	2	9	4

53

3	7	4	8	9	5	2	1	6
8	6	9	7	1	2	4	3	5
1	5	2	6	4	3	8	9	7
6	3	5	4	2	1	9	7	8
2	4	8	9	5	7	1	6	3
7	9	1	3	8	6	5	2	4
5	1	7	2	6	4	3	8	9
4	8	3	1	7	9	6	5	2
9	2	6	5	3	8	7	4	1

54

5	7	8	3	6	9	1	4	2
1	2	9	7	5	4	6	8	3
3	6	4	8	2	1	7	9	5
8	3	5	4	1	7	9	2	6
6	4	7	9	8	2	3	5	1
2	9	1	6	3	5	4	7	8
9	5	6	1	7	8	2	3	4
7	1	2	5	4	3	8	6	9
4	8	3	2	9	6	5	1	7

Solutions

55

1	3	6	8	5	7	4	2	9
4	9	5	3	2	1	8	7	6
2	8	7	9	6	4	1	5	3
8	5	3	1	9	2	6	4	7
9	1	4	6	7	8	5	3	2
6	7	2	4	3	5	9	1	8
5	2	8	7	4	9	3	6	1
7	6	1	5	8	3	2	9	4
3	4	9	2	1	6	7	8	5

56

3	9	7	8	1	6	4	2	5
6	8	5	2	4	7	9	3	1
1	4	2	3	5	9	8	7	6
9	1	3	4	7	5	2	6	8
8	7	6	9	2	1	5	4	3
2	5	4	6	3	8	7	1	9
7	6	9	1	8	4	3	5	2
5	2	1	7	9	3	6	8	4
4	3	8	5	6	2	1	9	7

57

3	1	4	7	8	5	9	6	2
6	5	2	1	9	4	3	7	8
8	7	9	6	3	2	1	5	4
9	2	1	4	5	6	8	3	7
7	6	3	8	1	9	4	2	5
5	4	8	3	2	7	6	1	9
1	3	5	2	4	8	7	9	6
4	9	6	5	7	1	2	8	3
2	8	7	9	6	3	5	4	1

58

4	7	8	2	6	3	1	5	9
6	5	2	9	1	8	7	3	4
9	3	1	5	4	7	8	6	2
1	6	4	8	9	5	2	7	3
5	9	7	3	2	1	4	8	6
2	8	3	6	7	4	9	1	5
3	2	9	1	8	6	5	4	7
8	4	5	7	3	9	6	2	1
7	1	6	4	5	2	3	9	8

59

1	8	3	9	7	2	4	5	6
4	5	2	1	3	6	8	9	7
7	9	6	5	8	4	2	1	3
5	4	9	7	1	3	6	8	2
8	3	1	6	2	5	7	4	9
2	6	7	4	9	8	1	3	5
9	2	4	3	6	1	5	7	8
6	7	5	8	4	9	3	2	1
3	1	8	2	5	7	9	6	4

60

7	4	2	6	9	1	3	8	5
6	3	9	8	4	5	1	2	7
8	1	5	3	7	2	9	4	6
5	9	1	2	6	3	8	7	4
3	6	4	9	8	7	2	5	1
2	7	8	1	5	4	6	3	9
1	8	7	5	3	9	4	6	2
9	5	3	4	2	6	7	1	8
4	2	6	7	1	8	5	9	3

61

4	7	5	8	3	9	1	6	2
1	2	9	6	4	5	3	7	8
8	6	3	1	2	7	9	5	4
6	3	8	2	5	4	7	9	1
2	9	4	7	1	3	5	8	6
7	5	1	9	8	6	4	2	3
9	8	7	4	6	1	2	3	5
5	4	6	3	9	2	8	1	7
3	1	2	5	7	8	6	4	9

62

8	6	4	1	2	7	3	5	9
2	3	1	5	9	6	4	7	8
9	7	5	3	8	4	6	1	2
3	9	8	6	5	1	2	4	7
4	5	6	7	3	2	9	8	1
1	2	7	8	4	9	5	6	3
6	8	2	4	7	3	1	9	5
5	1	3	9	6	8	7	2	4
7	4	9	2	1	5	8	3	6

63

6	5	3	7	8	9	2	4	1
8	4	1	3	6	2	5	7	9
2	7	9	5	4	1	3	6	8
5	2	4	8	9	7	6	1	3
3	1	6	4	2	5	8	9	7
7	9	8	1	3	6	4	2	5
4	6	5	9	1	3	7	8	2
1	8	7	2	5	4	9	3	6
9	3	2	6	7	8	1	5	4

Solutions

64

8	7	9	3	5	4	1	2	6
1	3	5	6	8	2	4	7	9
4	6	2	1	7	9	5	3	8
7	9	6	4	2	8	3	5	1
3	1	8	5	6	7	9	4	2
5	2	4	9	3	1	6	8	7
6	4	7	2	1	5	8	9	3
2	5	1	8	9	3	7	6	4
9	8	3	7	4	6	2	1	5

65

9	6	5	4	1	8	2	7	3
1	3	8	5	7	2	4	9	6
4	2	7	3	9	6	5	1	8
3	9	2	6	5	7	8	4	1
8	7	4	1	2	9	3	6	5
6	5	1	8	4	3	9	2	7
5	1	6	9	8	4	7	3	2
7	4	3	2	6	5	1	8	9
2	8	9	7	3	1	6	5	4

66

9	7	5	2	3	4	1	8	6
3	6	2	1	7	8	4	9	5
8	1	4	5	6	9	2	7	3
7	5	1	6	9	2	8	3	4
4	8	9	3	1	7	5	6	2
2	3	6	8	4	5	9	1	7
5	2	7	9	8	3	6	4	1
6	9	3	4	2	1	7	5	8
1	4	8	7	5	6	3	2	9

67

4	7	6	8	1	5	2	9	3
2	3	5	7	6	9	8	4	1
8	9	1	3	4	2	6	7	5
9	4	7	5	8	1	3	2	6
5	2	3	6	9	4	7	1	8
6	1	8	2	3	7	4	5	9
7	8	4	1	5	6	9	3	2
3	5	2	9	7	8	1	6	4
1	6	9	4	2	3	5	8	7

68

2	3	1	9	6	7	4	8	5
6	7	8	5	4	1	2	3	9
9	4	5	8	3	2	7	1	6
1	2	3	4	7	5	9	6	8
7	9	6	2	8	3	1	5	4
8	5	4	6	1	9	3	2	7
5	6	2	1	9	4	8	7	3
3	8	9	7	2	6	5	4	1
4	1	7	3	5	8	6	9	2

69

8	9	7	6	2	5	1	4	3
3	1	2	9	7	4	5	8	6
6	5	4	8	3	1	2	9	7
5	2	6	1	9	7	8	3	4
1	7	9	3	4	8	6	2	5
4	3	8	2	5	6	9	7	1
7	8	3	5	1	9	4	6	2
2	6	1	4	8	3	7	5	9
9	4	5	7	6	2	3	1	8

70

3	6	7	9	5	4	2	1	8
5	1	9	8	7	2	3	4	6
4	8	2	1	3	6	9	7	5
9	4	3	2	6	5	1	8	7
7	5	8	4	9	1	6	2	3
1	2	6	3	8	7	5	9	4
2	9	5	7	4	3	8	6	1
8	3	4	6	1	9	7	5	2
6	7	1	5	2	8	4	3	9

71

8	3	2	5	6	1	4	9	7
4	5	6	9	8	7	1	3	2
1	9	7	3	2	4	5	8	6
6	2	8	4	1	5	3	7	9
3	1	9	6	7	8	2	5	4
5	7	4	2	3	9	8	6	1
2	8	1	7	9	3	6	4	5
7	6	5	8	4	2	9	1	3
9	4	3	1	5	6	7	2	8

72

5	2	8	7	9	1	6	3	4
7	9	3	4	5	6	2	1	8
4	6	1	8	2	3	9	5	7
2	3	5	9	7	4	1	8	6
8	1	9	2	6	5	4	7	3
6	4	7	1	3	8	5	2	9
9	5	6	3	8	2	7	4	1
3	7	4	5	1	9	8	6	2
1	8	2	6	4	7	3	9	5

Solutions

73

4	8	9	3	6	2	1	5	7
1	3	7	5	8	4	9	2	6
5	6	2	9	7	1	3	4	8
8	5	1	4	9	7	2	6	3
7	2	3	6	1	8	5	9	4
9	4	6	2	3	5	8	7	1
3	7	5	1	4	9	6	8	2
6	9	4	8	2	3	7	1	5
2	1	8	7	5	6	4	3	9

74

5	4	6	8	7	9	3	1	2
2	9	7	1	3	5	6	8	4
8	1	3	2	6	4	7	5	9
6	2	4	7	1	3	5	9	8
9	8	1	6	5	2	4	7	3
7	3	5	4	9	8	2	6	1
1	7	2	9	4	6	8	3	5
3	6	8	5	2	1	9	4	7
4	5	9	3	8	7	1	2	6

75

7	6	1	5	8	3	4	9	2
3	2	8	4	9	6	5	1	7
9	4	5	2	7	1	8	3	6
1	7	6	9	3	4	2	5	8
5	8	3	1	2	7	9	6	4
4	9	2	8	6	5	3	7	1
8	1	4	6	5	9	7	2	3
2	5	7	3	1	8	6	4	9
6	3	9	7	4	2	1	8	5

76

4	8	3	2	5	1	7	6	9
6	2	9	3	7	8	4	1	5
5	1	7	9	4	6	8	2	3
2	3	5	1	9	4	6	8	7
1	6	4	7	8	5	3	9	2
7	9	8	6	2	3	5	4	1
8	4	2	5	3	9	1	7	6
3	7	6	8	1	2	9	5	4
9	5	1	4	6	7	2	3	8

77

1	8	6	3	4	7	2	5	9
5	4	3	9	2	8	7	6	1
9	7	2	1	5	6	4	8	3
7	2	8	6	9	5	1	3	4
4	3	5	7	8	1	9	2	6
6	9	1	2	3	4	8	7	5
8	6	9	4	7	3	5	1	2
3	5	4	8	1	2	6	9	7
2	1	7	5	6	9	3	4	8

78

2	9	8	6	7	5	1	4	3
3	5	4	2	9	1	8	7	6
7	1	6	8	3	4	2	9	5
8	2	7	3	4	6	5	1	9
1	6	9	5	8	2	4	3	7
5	4	3	9	1	7	6	8	2
9	7	5	4	6	8	3	2	1
6	8	1	7	2	3	9	5	4
4	3	2	1	5	9	7	6	8

79

7	4	5	8	1	3	2	6	9
1	3	9	5	6	2	4	8	7
6	2	8	7	9	4	5	1	3
2	1	3	6	5	7	9	4	8
4	9	7	2	8	1	3	5	6
8	5	6	4	3	9	1	7	2
5	8	1	3	2	6	7	9	4
9	7	2	1	4	8	6	3	5
3	6	4	9	7	5	8	2	1

80

6	5	9	4	3	1	8	7	2
4	3	2	8	7	6	9	5	1
8	7	1	2	5	9	4	3	6
1	2	4	5	9	3	6	8	7
5	8	3	6	2	7	1	9	4
9	6	7	1	4	8	5	2	3
3	4	8	9	6	2	7	1	5
2	1	5	7	8	4	3	6	9
7	9	6	3	1	5	2	4	8

81

9	4	6	8	3	5	7	2	1
5	1	7	2	6	9	3	4	8
2	8	3	1	4	7	5	6	9
6	9	8	7	1	4	2	5	3
4	7	1	5	2	3	8	9	6
3	5	2	6	9	8	1	7	4
8	3	5	4	7	6	9	1	2
1	6	9	3	5	2	4	8	7
7	2	4	9	8	1	6	3	5

Solutions

82

4	3	6	2	7	9	8	1	5
1	7	2	8	5	6	4	9	3
9	5	8	1	3	4	7	2	6
6	4	5	9	2	3	1	7	8
3	1	9	7	6	8	2	5	4
2	8	7	4	1	5	6	3	9
7	6	4	3	9	1	5	8	2
5	2	3	6	8	7	9	4	1
8	9	1	5	4	2	3	6	7

83

4	3	8	1	9	2	7	6	5
7	5	9	3	4	6	2	1	8
2	6	1	5	8	7	4	9	3
6	2	7	9	5	3	1	8	4
3	9	4	8	2	1	5	7	6
1	8	5	7	6	4	3	2	9
8	7	2	4	3	9	6	5	1
9	4	6	2	1	5	8	3	7
5	1	3	6	7	8	9	4	2

84

6	7	3	1	9	2	5	8	4
8	1	9	5	7	4	3	6	2
2	5	4	3	6	8	7	9	1
3	9	8	6	4	5	2	1	7
5	4	1	7	2	9	6	3	8
7	6	2	8	1	3	9	4	5
9	3	5	2	8	1	4	7	6
1	2	6	4	3	7	8	5	9
4	8	7	9	5	6	1	2	3

85

2	8	1	9	4	7	5	6	3
5	9	7	3	6	1	2	8	4
6	4	3	8	2	5	1	7	9
7	6	9	5	3	8	4	1	2
8	2	5	4	1	6	9	3	7
3	1	4	2	7	9	8	5	6
4	7	2	1	5	3	6	9	8
1	3	8	6	9	2	7	4	5
9	5	6	7	8	4	3	2	1

86

3	8	9	1	2	5	7	4	6
7	1	4	3	6	9	2	8	5
5	2	6	8	7	4	1	3	9
8	6	2	5	4	1	3	9	7
4	9	3	7	8	6	5	1	2
1	5	7	9	3	2	4	6	8
6	3	1	2	9	7	8	5	4
2	4	8	6	5	3	9	7	1
9	7	5	4	1	8	6	2	3

87

7	2	4	5	1	3	9	8	6
8	9	3	7	6	4	2	1	5
5	1	6	8	9	2	3	4	7
9	7	8	4	5	6	1	3	2
4	5	1	2	3	7	8	6	9
6	3	2	1	8	9	5	7	4
3	8	9	6	4	5	7	2	1
1	6	7	9	2	8	4	5	3
2	4	5	3	7	1	6	9	8

88

5	7	2	8	6	3	4	9	1
8	1	3	4	2	9	7	5	6
9	6	4	1	7	5	8	2	3
7	4	8	3	1	2	9	6	5
6	5	1	7	9	4	3	8	2
2	3	9	5	8	6	1	4	7
1	9	5	2	3	8	6	7	4
4	8	7	6	5	1	2	3	9
3	2	6	9	4	7	5	1	8

89

1	3	8	5	6	9	2	7	4
7	2	5	3	4	1	6	8	9
9	6	4	8	2	7	3	5	1
6	4	2	7	8	5	1	9	3
8	1	9	4	3	2	5	6	7
3	5	7	1	9	6	8	4	2
5	9	1	2	7	8	4	3	6
2	7	3	6	5	4	9	1	8
4	8	6	9	1	3	7	2	5

90

1	6	2	7	3	5	4	8	9
5	7	8	6	4	9	1	2	3
9	3	4	8	2	1	7	6	5
3	8	6	2	1	4	5	9	7
7	4	9	5	6	8	3	1	2
2	1	5	3	9	7	6	4	8
6	2	1	9	7	3	8	5	4
8	9	7	4	5	6	2	3	1
4	5	3	1	8	2	9	7	6

Solutions

91

3	2	4	8	5	6	1	9	7
8	5	9	4	1	7	6	3	2
7	1	6	3	9	2	5	4	8
1	6	7	5	4	9	8	2	3
4	8	2	6	3	1	9	7	5
5	9	3	2	7	8	4	6	1
2	3	8	9	6	5	7	1	4
6	4	1	7	8	3	2	5	9
9	7	5	1	2	4	3	8	6

92

8	2	1	4	9	3	6	5	7
7	6	4	1	2	5	8	3	9
3	9	5	8	6	7	2	4	1
6	1	8	2	3	4	7	9	5
4	5	2	7	8	9	1	6	3
9	7	3	6	5	1	4	2	8
2	3	6	9	7	8	5	1	4
1	8	9	5	4	2	3	7	6
5	4	7	3	1	6	9	8	2

93

6	4	3	9	1	8	5	7	2
8	5	2	3	7	4	1	9	6
7	1	9	2	5	6	8	4	3
5	8	6	7	9	3	4	2	1
4	3	7	1	8	2	6	5	9
9	2	1	4	6	5	3	8	7
2	7	4	8	3	1	9	6	5
1	6	8	5	2	9	7	3	4
3	9	5	6	4	7	2	1	8

94

6	2	7	8	1	3	4	9	5
8	3	5	4	9	7	1	2	6
4	9	1	5	6	2	3	8	7
3	4	9	1	8	5	7	6	2
1	7	2	9	3	6	8	5	4
5	8	6	7	2	4	9	1	3
2	1	4	3	5	9	6	7	8
9	5	3	6	7	8	2	4	1
7	6	8	2	4	1	5	3	9

95

4	2	5	8	7	3	6	9	1
8	6	1	2	5	9	4	7	3
3	7	9	1	6	4	5	8	2
5	1	6	3	9	8	7	2	4
2	9	8	7	4	6	3	1	5
7	3	4	5	1	2	8	6	9
6	4	2	9	8	5	1	3	7
1	8	3	4	2	7	9	5	6
9	5	7	6	3	1	2	4	8

96

6	3	1	5	7	2	8	9	4
9	7	5	8	3	4	2	1	6
2	4	8	6	1	9	5	7	3
8	2	3	7	4	5	9	6	1
7	5	4	1	9	6	3	2	8
1	6	9	2	8	3	4	5	7
4	1	7	9	2	8	6	3	5
5	8	2	3	6	1	7	4	9
3	9	6	4	5	7	1	8	2

97

1	2	7	4	9	5	3	8	6
4	3	5	6	2	8	1	9	7
8	6	9	3	1	7	2	5	4
6	1	4	5	7	2	8	3	9
9	5	2	8	3	6	4	7	1
3	7	8	1	4	9	5	6	2
5	4	1	9	6	3	7	2	8
2	9	3	7	8	1	6	4	5
7	8	6	2	5	4	9	1	3

98

2	5	8	1	6	7	9	4	3
4	1	6	3	5	9	7	8	2
7	3	9	4	8	2	6	5	1
6	7	4	8	2	1	3	9	5
5	9	3	7	4	6	1	2	8
8	2	1	9	3	5	4	7	6
3	8	2	6	7	4	5	1	9
1	6	7	5	9	8	2	3	4
9	4	5	2	1	3	8	6	7

99

7	2	5	1	3	4	8	9	6
4	8	9	5	7	6	3	2	1
3	1	6	9	8	2	7	4	5
5	3	2	6	4	1	9	7	8
1	4	8	7	9	3	5	6	2
6	9	7	8	2	5	4	1	3
8	6	4	2	5	9	1	3	7
2	5	3	4	1	7	6	8	9
9	7	1	3	6	8	2	5	4

Solutions

100

4	2	7	1	9	6	5	8	3
8	6	5	4	3	7	1	2	9
9	3	1	8	2	5	6	4	7
6	9	8	2	5	1	3	7	4
7	1	3	9	6	4	2	5	8
5	4	2	3	7	8	9	1	6
3	7	6	5	8	2	4	9	1
1	5	9	7	4	3	8	6	2
2	8	4	6	1	9	7	3	5

101

4	8	9	7	2	3	5	1	6
3	7	1	5	8	6	9	4	2
2	6	5	1	4	9	8	7	3
7	9	6	4	3	8	1	2	5
1	2	4	9	7	5	6	3	8
5	3	8	2	6	1	7	9	4
8	1	7	3	5	2	4	6	9
9	5	2	6	1	4	3	8	7
6	4	3	8	9	7	2	5	1

102

7	4	8	2	3	9	1	6	5
6	2	1	5	8	4	3	7	9
3	9	5	7	1	6	2	8	4
2	8	4	3	6	5	9	1	7
1	5	7	8	9	2	6	4	3
9	3	6	4	7	1	5	2	8
8	7	2	1	5	3	4	9	6
4	6	3	9	2	8	7	5	1
5	1	9	6	4	7	8	3	2

103

1	4	6	8	3	5	9	7	2
8	3	2	9	1	7	4	6	5
9	7	5	6	2	4	8	1	3
2	9	8	1	5	6	3	4	7
4	6	1	7	9	3	2	5	8
7	5	3	2	4	8	1	9	6
5	8	4	3	7	9	6	2	1
6	1	9	5	8	2	7	3	4
3	2	7	4	6	1	5	8	9

104

2	1	8	3	7	9	6	5	4
9	6	7	4	2	5	1	3	8
5	3	4	8	6	1	2	9	7
7	2	1	9	5	6	4	8	3
3	4	5	1	8	2	7	6	9
6	8	9	7	3	4	5	2	1
8	7	6	2	4	3	9	1	5
1	5	3	6	9	7	8	4	2
4	9	2	5	1	8	3	7	6

105

3	9	4	2	5	1	8	6	7
1	8	6	3	4	7	5	9	2
5	2	7	6	9	8	3	1	4
9	7	5	4	3	6	1	2	8
4	1	3	8	7	2	9	5	6
8	6	2	5	1	9	4	7	3
2	5	9	7	8	4	6	3	1
7	4	1	9	6	3	2	8	5
6	3	8	1	2	5	7	4	9

106

2	4	5	7	1	3	6	9	8
1	8	3	9	6	4	5	2	7
6	7	9	8	5	2	3	1	4
3	5	4	2	9	8	1	7	6
8	2	1	6	4	7	9	3	5
7	9	6	5	3	1	4	8	2
9	6	2	3	8	5	7	4	1
5	1	7	4	2	9	8	6	3
4	3	8	1	7	6	2	5	9

107

7	6	1	2	9	4	5	8	3
4	9	2	3	8	5	6	7	1
8	3	5	7	1	6	4	2	9
6	7	8	1	2	9	3	5	4
1	2	4	5	3	7	9	6	8
9	5	3	4	6	8	2	1	7
3	8	6	9	5	1	7	4	2
5	4	9	8	7	2	1	3	6
2	1	7	6	4	3	8	9	5

108

4	9	3	7	8	1	5	2	6
8	1	5	6	2	3	9	4	7
7	2	6	5	9	4	3	1	8
5	4	7	2	6	9	8	3	1
6	3	1	8	4	5	7	9	2
2	8	9	3	1	7	6	5	4
9	6	8	4	3	2	1	7	5
1	5	4	9	7	8	2	6	3
3	7	2	1	5	6	4	8	9

Solutions

109

4	9	2	7	5	1	3	8	6
3	5	7	6	2	8	9	1	4
1	8	6	3	9	4	2	5	7
5	3	1	9	4	7	8	6	2
2	6	8	1	3	5	4	7	9
9	7	4	8	6	2	1	3	5
6	4	9	5	1	3	7	2	8
7	1	5	2	8	9	6	4	3
8	2	3	4	7	6	5	9	1

110

8	1	2	5	3	4	9	6	7
6	4	7	8	9	2	1	3	5
9	5	3	7	1	6	2	4	8
7	8	9	6	5	1	4	2	3
4	3	5	9	2	8	6	7	1
2	6	1	4	7	3	8	5	9
1	2	4	3	8	7	5	9	6
5	7	8	2	6	9	3	1	4
3	9	6	1	4	5	7	8	2

111

7	2	9	5	8	3	6	4	1
3	6	4	2	9	1	7	8	5
8	5	1	7	6	4	3	9	2
6	4	8	9	1	5	2	7	3
9	3	2	4	7	6	1	5	8
5	1	7	3	2	8	9	6	4
1	7	3	8	4	9	5	2	6
2	8	5	6	3	7	4	1	9
4	9	6	1	5	2	8	3	7

112

6	3	1	4	9	7	8	2	5
8	9	5	1	2	6	3	4	7
4	7	2	5	8	3	9	1	6
3	5	4	2	6	8	1	7	9
2	1	9	7	3	4	6	5	8
7	8	6	9	5	1	4	3	2
1	6	8	3	7	2	5	9	4
5	4	7	6	1	9	2	8	3
9	2	3	8	4	5	7	6	1

113

2	5	7	9	1	3	8	4	6
9	6	4	7	8	2	3	1	5
3	8	1	4	5	6	2	7	9
4	7	9	3	2	5	1	6	8
5	1	3	6	4	8	9	2	7
8	2	6	1	9	7	5	3	4
6	3	2	8	7	9	4	5	1
7	4	8	5	3	1	6	9	2
1	9	5	2	6	4	7	8	3

114

4	2	7	9	1	6	8	3	5
3	1	9	5	8	4	2	6	7
6	5	8	3	7	2	9	4	1
5	4	3	1	9	8	7	2	6
8	9	2	6	3	7	1	5	4
7	6	1	4	2	5	3	8	9
9	7	4	2	5	3	6	1	8
1	3	6	8	4	9	5	7	2
2	8	5	7	6	1	4	9	3

115

6	8	2	9	7	1	3	5	4
7	4	9	5	3	2	8	6	1
5	1	3	4	6	8	2	9	7
9	7	4	8	5	6	1	2	3
2	3	5	7	1	9	6	4	8
8	6	1	2	4	3	5	7	9
1	2	7	3	9	5	4	8	6
4	5	6	1	8	7	9	3	2
3	9	8	6	2	4	7	1	5

116

2	3	5	8	4	6	9	1	7
8	7	4	9	1	5	2	6	3
1	9	6	3	7	2	8	5	4
4	8	2	7	3	1	6	9	5
6	1	3	5	9	4	7	8	2
9	5	7	2	6	8	4	3	1
5	4	1	6	2	9	3	7	8
7	2	9	1	8	3	5	4	6
3	6	8	4	5	7	1	2	9

117

1	7	5	8	9	2	3	6	4
6	9	8	1	3	4	7	2	5
4	3	2	7	5	6	8	1	9
3	1	4	2	7	9	5	8	6
7	5	9	3	6	8	1	4	2
8	2	6	4	1	5	9	7	3
2	6	3	5	8	7	4	9	1
5	4	7	9	2	1	6	3	8
9	8	1	6	4	3	2	5	7

Solutions

118

4	9	6	5	2	7	1	8	3
8	5	7	4	1	3	9	2	6
3	2	1	9	6	8	4	7	5
2	1	4	8	3	5	7	6	9
9	3	8	6	7	2	5	4	1
7	6	5	1	9	4	2	3	8
5	8	9	2	4	6	3	1	7
6	7	2	3	5	1	8	9	4
1	4	3	7	8	9	6	5	2

119

6	4	2	3	5	7	9	1	8
9	8	5	1	6	2	7	3	4
3	1	7	4	8	9	2	5	6
1	6	4	5	2	3	8	9	7
5	9	8	7	1	4	3	6	2
7	2	3	8	9	6	5	4	1
4	7	6	2	3	5	1	8	9
8	5	9	6	7	1	4	2	3
2	3	1	9	4	8	6	7	5

120

6	8	1	5	4	7	2	9	3
5	3	7	2	9	1	4	8	6
9	2	4	3	8	6	5	7	1
2	7	9	1	6	5	8	3	4
8	5	3	9	7	4	6	1	2
1	4	6	8	2	3	9	5	7
3	1	2	6	5	8	7	4	9
7	6	8	4	3	9	1	2	5
4	9	5	7	1	2	3	6	8

121

6	2	1	3	5	8	7	4	9
9	3	5	4	6	7	2	8	1
8	7	4	2	1	9	3	6	5
5	4	6	1	7	2	9	3	8
1	9	7	5	8	3	4	2	6
3	8	2	9	4	6	1	5	7
4	5	8	7	3	1	6	9	2
7	6	9	8	2	4	5	1	3
2	1	3	6	9	5	8	7	4

122

8	9	3	1	7	5	2	6	4
7	6	1	3	2	4	5	9	8
5	4	2	9	8	6	1	7	3
9	7	5	8	4	2	3	1	6
1	3	8	6	9	7	4	2	5
6	2	4	5	3	1	9	8	7
2	8	7	4	1	3	6	5	9
3	1	6	7	5	9	8	4	2
4	5	9	2	6	8	7	3	1

123

8	1	6	2	7	4	5	9	3
5	4	9	1	6	3	7	8	2
2	7	3	9	5	8	6	1	4
4	2	8	6	9	5	1	3	7
6	9	1	8	3	7	2	4	5
3	5	7	4	2	1	8	6	9
1	8	5	7	4	9	3	2	6
7	6	4	3	8	2	9	5	1
9	3	2	5	1	6	4	7	8

124

3	7	1	8	4	9	6	2	5
6	4	2	5	3	7	8	1	9
9	5	8	6	2	1	7	3	4
4	6	7	3	9	8	2	5	1
8	3	9	2	1	5	4	6	7
2	1	5	4	7	6	9	8	3
7	8	6	1	5	4	3	9	2
1	2	4	9	6	3	5	7	8
5	9	3	7	8	2	1	4	6

125

3	7	2	9	6	5	8	1	4
1	5	8	3	7	4	9	6	2
9	4	6	8	2	1	5	7	3
2	9	1	7	4	3	6	5	8
8	6	5	2	1	9	4	3	7
4	3	7	6	5	8	1	2	9
7	8	9	5	3	6	2	4	1
6	2	4	1	8	7	3	9	5
5	1	3	4	9	2	7	8	6

126

1	5	4	7	6	3	9	8	2
7	9	3	8	2	1	6	5	4
2	6	8	4	5	9	7	1	3
6	1	9	2	3	5	4	7	8
3	4	2	6	7	8	1	9	5
5	8	7	9	1	4	3	2	6
4	7	1	3	8	2	5	6	9
9	2	5	1	4	6	8	3	7
8	3	6	5	9	7	2	4	1

Solutions

127

1	4	9	8	3	7	5	2	6
8	6	2	9	5	1	7	4	3
3	5	7	2	4	6	8	1	9
5	8	3	1	6	2	9	7	4
4	7	1	3	8	9	6	5	2
9	2	6	5	7	4	3	8	1
6	9	4	7	1	5	2	3	8
7	1	8	6	2	3	4	9	5
2	3	5	4	9	8	1	6	7

128

4	1	9	8	3	6	2	5	7
6	8	7	5	2	1	4	3	9
3	2	5	4	9	7	6	1	8
5	6	2	9	4	8	1	7	3
1	9	4	7	5	3	8	2	6
8	7	3	1	6	2	9	4	5
9	3	6	2	1	5	7	8	4
2	4	8	3	7	9	5	6	1
7	5	1	6	8	4	3	9	2

129

2	1	7	4	5	9	6	8	3
4	6	9	2	8	3	7	1	5
8	5	3	1	6	7	4	9	2
3	7	6	8	9	2	1	5	4
9	4	5	7	1	6	2	3	8
1	2	8	5	3	4	9	6	7
5	8	2	6	4	1	3	7	9
7	9	1	3	2	5	8	4	6
6	3	4	9	7	8	5	2	1

130

4	5	6	7	2	1	3	9	8
1	9	2	8	4	3	7	6	5
7	3	8	5	9	6	2	4	1
2	7	3	4	1	9	8	5	6
6	4	5	2	7	8	9	1	3
8	1	9	3	6	5	4	7	2
5	2	7	1	3	4	6	8	9
9	8	4	6	5	2	1	3	7
3	6	1	9	8	7	5	2	4

131

2	5	3	9	7	4	1	6	8
4	1	8	3	2	6	7	9	5
7	6	9	1	5	8	4	2	3
8	7	5	6	4	2	9	3	1
9	2	1	8	3	5	6	4	7
6	3	4	7	9	1	5	8	2
5	4	7	2	6	3	8	1	9
3	8	6	5	1	9	2	7	4
1	9	2	4	8	7	3	5	6

132

1	2	6	7	4	8	5	3	9
9	4	7	2	5	3	6	8	1
5	3	8	6	9	1	4	7	2
6	5	4	3	2	9	7	1	8
7	9	1	8	6	5	2	4	3
2	8	3	4	1	7	9	6	5
3	6	9	1	7	2	8	5	4
8	7	5	9	3	4	1	2	6
4	1	2	5	8	6	3	9	7

133

3	7	6	1	8	4	5	2	9
2	9	5	7	3	6	4	1	8
8	4	1	9	5	2	6	7	3
9	5	2	4	6	8	1	3	7
1	3	8	5	7	9	2	4	6
7	6	4	2	1	3	9	8	5
4	8	7	6	9	1	3	5	2
6	2	3	8	4	5	7	9	1
5	1	9	3	2	7	8	6	4

134

5	9	3	6	8	1	7	2	4
2	1	7	3	5	4	8	6	9
8	6	4	2	9	7	3	1	5
4	8	6	9	3	5	1	7	2
9	3	5	1	7	2	6	4	8
7	2	1	4	6	8	9	5	3
1	5	8	7	2	9	4	3	6
6	4	9	5	1	3	2	8	7
3	7	2	8	4	6	5	9	1

135

9	6	3	2	8	7	4	1	5
7	8	1	9	4	5	6	2	3
5	4	2	6	3	1	7	8	9
6	9	5	7	1	8	2	3	4
4	1	8	3	9	2	5	6	7
3	2	7	5	6	4	1	9	8
1	5	9	4	2	3	8	7	6
2	3	4	8	7	6	9	5	1
8	7	6	1	5	9	3	4	2

Solutions

136

8	9	1	3	5	2	4	7	6
4	3	6	8	7	1	9	2	5
7	2	5	6	4	9	1	8	3
1	8	4	5	6	7	3	9	2
5	7	3	2	9	4	6	1	8
9	6	2	1	3	8	5	4	7
6	4	7	9	2	3	8	5	1
2	5	8	4	1	6	7	3	9
3	1	9	7	8	5	2	6	4

137

8	5	2	7	6	1	4	3	9
9	6	3	8	4	5	2	7	1
4	1	7	3	2	9	6	8	5
7	4	9	1	8	6	5	2	3
3	8	1	5	7	2	9	4	6
6	2	5	9	3	4	8	1	7
2	9	6	4	1	7	3	5	8
1	3	4	6	5	8	7	9	2
5	7	8	2	9	3	1	6	4

138

8	6	2	5	9	4	1	3	7
7	1	3	6	8	2	5	4	9
9	5	4	1	7	3	6	2	8
2	8	1	9	4	6	7	5	3
4	9	6	7	3	5	8	1	2
3	7	5	8	2	1	9	6	4
6	4	8	3	5	9	2	7	1
1	2	7	4	6	8	3	9	5
5	3	9	2	1	7	4	8	6

139

1	9	8	3	6	2	7	5	4
6	2	7	4	9	5	8	1	3
4	3	5	8	1	7	2	9	6
9	5	1	2	8	4	6	3	7
8	6	3	7	5	1	4	2	9
7	4	2	9	3	6	5	8	1
2	1	6	5	4	9	3	7	8
5	8	9	6	7	3	1	4	2
3	7	4	1	2	8	9	6	5

140

5	8	1	2	4	3	6	7	9
6	4	2	7	8	9	1	3	5
3	7	9	1	5	6	8	2	4
1	5	6	4	3	7	2	9	8
4	3	7	8	9	2	5	6	1
2	9	8	5	6	1	7	4	3
8	6	4	9	7	5	3	1	2
7	2	5	3	1	4	9	8	6
9	1	3	6	2	8	4	5	7

141

7	8	3	2	9	5	4	1	6
5	4	6	7	3	1	9	2	8
1	2	9	4	6	8	7	5	3
4	5	2	3	7	9	8	6	1
3	6	8	1	2	4	5	9	7
9	1	7	5	8	6	2	3	4
8	9	4	6	1	2	3	7	5
2	3	1	8	5	7	6	4	9
6	7	5	9	4	3	1	8	2

142

9	1	5	8	7	2	6	3	4
3	6	7	5	4	9	1	2	8
8	4	2	1	6	3	5	9	7
7	3	4	2	9	1	8	5	6
1	2	6	7	5	8	3	4	9
5	9	8	6	3	4	7	1	2
2	5	9	3	8	6	4	7	1
6	7	1	4	2	5	9	8	3
4	8	3	9	1	7	2	6	5

143

1	4	3	8	6	9	5	2	7
5	7	8	2	1	4	3	6	9
2	6	9	5	3	7	1	4	8
9	8	1	4	2	6	7	3	5
6	5	7	9	8	3	4	1	2
3	2	4	7	5	1	9	8	6
8	1	2	3	7	5	6	9	4
7	9	6	1	4	2	8	5	3
4	3	5	6	9	8	2	7	1

144

6	9	2	8	1	7	4	3	5
1	4	5	9	6	3	8	2	7
3	7	8	4	5	2	9	1	6
5	6	4	2	7	1	3	8	9
9	3	1	6	8	4	5	7	2
2	8	7	5	3	9	6	4	1
7	1	6	3	9	8	2	5	4
8	2	9	1	4	5	7	6	3
4	5	3	7	2	6	1	9	8

Solutions

145

2	3	8	1	6	7	5	4	9
1	5	4	2	9	8	3	7	6
6	7	9	5	3	4	2	8	1
9	4	2	3	8	6	1	5	7
8	1	7	9	2	5	6	3	4
5	6	3	7	4	1	9	2	8
4	8	5	6	1	3	7	9	2
7	9	1	4	5	2	8	6	3
3	2	6	8	7	9	4	1	5

146

5	9	6	8	7	3	1	4	2
7	8	4	1	2	6	9	5	3
1	3	2	5	9	4	8	7	6
3	4	9	6	1	8	5	2	7
8	5	1	7	4	2	6	3	9
2	6	7	9	3	5	4	1	8
9	1	5	2	8	7	3	6	4
4	2	8	3	6	1	7	9	5
6	7	3	4	5	9	2	8	1

147

7	9	1	4	3	5	8	2	6
3	8	4	7	6	2	5	9	1
5	2	6	1	9	8	7	4	3
9	4	3	6	2	7	1	8	5
1	5	8	9	4	3	6	7	2
2	6	7	5	8	1	4	3	9
4	3	9	8	1	6	2	5	7
8	1	5	2	7	9	3	6	4
6	7	2	3	5	4	9	1	8

148

6	9	3	7	5	1	8	2	4
2	5	1	4	9	8	7	3	6
8	7	4	6	2	3	9	1	5
4	6	5	8	7	2	1	9	3
7	1	9	5	3	6	2	4	8
3	8	2	1	4	9	5	6	7
5	4	6	9	1	7	3	8	2
9	2	8	3	6	5	4	7	1
1	3	7	2	8	4	6	5	9

149

7	8	5	3	9	6	2	1	4
6	3	4	1	2	8	5	9	7
2	1	9	7	5	4	3	8	6
9	5	7	4	1	2	6	3	8
1	4	2	8	6	3	9	7	5
8	6	3	9	7	5	4	2	1
3	2	6	5	8	7	1	4	9
5	9	8	2	4	1	7	6	3
4	7	1	6	3	9	8	5	2

150

8	4	1	3	7	5	2	6	9
2	5	7	9	4	6	1	3	8
9	3	6	2	1	8	4	5	7
5	7	2	1	8	4	6	9	3
1	8	4	6	9	3	7	2	5
3	6	9	7	5	2	8	1	4
4	2	5	8	3	1	9	7	6
7	1	3	4	6	9	5	8	2
6	9	8	5	2	7	3	4	1

151

6	2	8	9	7	5	3	4	1
4	1	3	8	6	2	5	9	7
7	5	9	4	1	3	8	6	2
9	7	5	3	4	1	2	8	6
8	6	2	5	9	7	1	3	4
3	4	1	2	8	6	7	5	9
1	3	4	6	2	8	9	7	5
5	9	7	1	3	4	6	2	8
2	8	6	7	5	9	4	1	3

152

3	4	1	8	2	6	7	5	9
5	2	6	9	4	7	8	1	3
8	9	7	5	1	3	6	2	4
1	3	5	4	7	8	9	6	2
2	6	9	3	5	1	4	8	7
7	8	4	6	9	2	5	3	1
9	1	2	7	8	5	3	4	6
6	7	8	1	3	4	2	9	5
4	5	3	2	6	9	1	7	8

153

9	6	2	8	7	1	5	4	3
5	7	3	2	4	6	1	9	8
8	1	4	3	9	5	6	7	2
4	3	7	9	1	8	2	5	6
1	2	5	7	6	3	9	8	4
6	8	9	4	5	2	7	3	1
2	9	1	5	3	4	8	6	7
3	5	6	1	8	7	4	2	9
7	4	8	6	2	9	3	1	5

Solutions

154

2	8	9	3	7	4	6	1	5
4	6	7	5	9	1	2	8	3
5	3	1	8	2	6	4	9	7
7	1	5	9	4	2	8	3	6
6	9	2	7	3	8	1	5	4
8	4	3	1	6	5	9	7	2
3	5	6	2	1	9	7	4	8
1	2	8	4	5	7	3	6	9
9	7	4	6	8	3	5	2	1

155

6	1	9	4	7	2	5	8	3
4	5	2	8	3	6	7	1	9
7	3	8	5	9	1	4	2	6
9	8	6	1	5	7	2	3	4
5	2	4	6	8	3	9	7	1
1	7	3	9	2	4	6	5	8
8	4	1	2	6	5	3	9	7
2	9	7	3	4	8	1	6	5
3	6	5	7	1	9	8	4	2

156

2	8	9	1	6	3	5	7	4
1	5	6	7	4	8	3	9	2
3	7	4	9	5	2	6	8	1
8	9	2	3	7	4	1	6	5
6	1	5	8	2	9	4	3	7
7	4	3	5	1	6	9	2	8
4	6	8	2	9	5	7	1	3
9	2	1	4	3	7	8	5	6
5	3	7	6	8	1	2	4	9

157

7	1	3	5	8	4	6	2	9
5	8	4	6	2	9	3	7	1
6	2	9	3	7	1	4	5	8
9	6	2	1	3	7	8	4	5
4	5	8	9	6	2	1	3	7
3	7	1	4	5	8	9	6	2
1	3	7	8	4	5	2	9	6
8	4	5	2	9	6	7	1	3
2	9	6	7	1	3	5	8	4

158

3	9	7	1	2	8	6	5	4
4	6	2	3	9	5	8	1	7
5	8	1	6	4	7	3	9	2
9	2	8	7	5	6	1	4	3
7	4	5	2	1	3	9	8	6
1	3	6	9	8	4	7	2	5
2	7	4	8	3	9	5	6	1
8	1	3	5	6	2	4	7	9
6	5	9	4	7	1	2	3	8

159

7	3	1	5	2	8	9	6	4
4	5	9	6	7	1	3	2	8
2	8	6	3	4	9	5	7	1
8	4	5	7	6	3	2	1	9
6	2	7	1	9	5	4	8	3
9	1	3	4	8	2	7	5	6
3	7	8	2	1	4	6	9	5
1	6	4	9	5	7	8	3	2
5	9	2	8	3	6	1	4	7

160

1	3	9	6	4	2	8	5	7
8	4	7	1	5	9	3	6	2
6	2	5	7	8	3	9	1	4
7	6	3	5	1	4	2	8	9
2	1	4	9	3	8	6	7	5
9	5	8	2	7	6	1	4	3
4	7	6	3	9	1	5	2	8
5	9	2	8	6	7	4	3	1
3	8	1	4	2	5	7	9	6

161

6	8	3	5	9	7	4	1	2
5	4	2	8	1	6	9	3	7
9	7	1	2	4	3	5	8	6
2	1	7	6	8	4	3	5	9
8	6	4	3	5	9	7	2	1
3	9	5	7	2	1	6	4	8
1	5	9	4	7	8	2	6	3
4	3	8	9	6	2	1	7	5
7	2	6	1	3	5	8	9	4

162

5	2	1	3	9	4	6	7	8
8	7	3	1	5	6	2	9	4
4	6	9	7	8	2	1	5	3
9	3	8	6	1	7	5	4	2
1	5	7	4	2	8	9	3	6
2	4	6	5	3	9	7	8	1
7	8	5	2	4	1	3	6	9
6	1	4	9	7	3	8	2	5
3	9	2	8	6	5	4	1	7

Solutions

163
4	3	5	1	8	9	2	6	7
1	9	2	6	3	7	5	8	4
8	7	6	2	5	4	3	1	9
9	6	3	8	7	5	4	2	1
2	4	7	3	6	1	9	5	8
5	8	1	4	9	2	7	3	6
6	5	8	7	4	3	1	9	2
3	2	4	9	1	6	8	7	5
7	1	9	5	2	8	6	4	3

164
1	3	4	8	9	5	2	7	6
8	5	2	7	3	6	9	4	1
9	6	7	4	2	1	3	8	5
7	9	1	6	8	3	5	2	4
4	8	6	5	7	2	1	9	3
3	2	5	1	4	9	8	6	7
2	1	3	9	6	7	4	5	8
5	7	8	2	1	4	6	3	9
6	4	9	3	5	8	7	1	2

165
1	2	8	6	5	4	7	9	3
3	7	4	1	9	8	2	5	6
6	9	5	7	3	2	1	8	4
2	5	7	3	4	6	8	1	9
8	1	3	9	2	7	4	6	5
4	6	9	5	8	1	3	7	2
9	8	6	2	7	3	5	4	1
5	4	2	8	1	9	6	3	7
7	3	1	4	6	5	9	2	8

166
7	4	8	1	2	3	5	9	6
2	9	5	4	6	7	1	3	8
3	6	1	8	9	5	4	7	2
5	8	9	3	4	6	2	1	7
1	3	2	7	8	9	6	4	5
4	7	6	5	1	2	3	8	9
6	1	4	9	5	8	7	2	3
8	2	3	6	7	4	9	5	1
9	5	7	2	3	1	8	6	4

167
8	1	2	3	6	9	4	7	5
3	9	6	7	4	5	2	8	1
7	5	4	8	2	1	6	3	9
2	7	1	6	9	8	5	4	3
6	8	9	4	5	3	1	2	7
4	3	5	2	1	7	9	6	8
1	4	7	9	8	2	3	5	6
9	2	8	5	3	6	7	1	4
5	6	3	1	7	4	8	9	2

168
2	9	8	5	1	6	7	3	4
4	7	1	8	9	3	5	6	2
5	6	3	2	7	4	1	9	8
8	2	6	9	3	1	4	7	5
3	4	9	7	5	2	8	1	6
7	1	5	6	4	8	3	2	9
9	8	7	1	6	5	2	4	3
6	3	2	4	8	7	9	5	1
1	5	4	3	2	9	6	8	7

169
2	7	4	1	5	3	8	9	6
1	5	3	8	9	6	7	4	2
9	6	8	4	2	7	3	1	5
4	2	7	3	1	5	6	8	9
8	9	6	7	4	2	5	3	1
3	1	5	6	8	9	2	7	4
6	8	9	2	7	4	1	5	3
7	4	2	5	3	1	9	6	8
5	3	1	9	6	8	4	2	7

170
6	7	9	1	2	5	3	4	8
5	1	4	3	8	9	6	7	2
2	8	3	4	7	6	5	1	9
4	9	7	6	3	8	2	5	1
1	5	2	7	9	4	8	6	3
3	6	8	2	5	1	7	9	4
9	2	1	5	6	3	4	8	7
8	3	5	9	4	7	1	2	6
7	4	6	8	1	2	9	3	5

171
6	5	4	2	9	3	8	1	7
3	9	2	7	8	1	6	5	4
1	7	8	5	6	4	9	2	3
7	6	5	3	1	9	4	8	2
9	2	1	4	5	8	7	3	6
8	4	3	6	7	2	5	9	1
2	1	7	9	4	5	3	6	8
5	3	6	8	2	7	1	4	9
4	8	9	1	3	6	2	7	5

Solutions

172

3	5	8	1	7	4	9	2	6
7	9	1	6	5	2	4	8	3
4	2	6	8	9	3	7	1	5
2	7	3	4	8	6	1	5	9
1	8	9	2	3	5	6	4	7
5	6	4	9	1	7	8	3	2
8	1	2	3	6	9	5	7	4
6	3	7	5	4	8	2	9	1
9	4	5	7	2	1	3	6	8

173

4	9	8	1	5	6	3	2	7
5	3	6	4	7	2	9	8	1
2	1	7	3	9	8	4	5	6
3	7	9	6	4	5	2	1	8
6	8	2	9	1	7	5	3	4
1	5	4	2	8	3	7	6	9
9	2	1	8	3	4	6	7	5
7	4	3	5	6	1	8	9	2
8	6	5	7	2	9	1	4	3

174

8	6	5	3	9	4	7	1	2
7	1	2	8	5	6	3	9	4
4	3	9	1	2	7	5	8	6
6	9	1	2	8	3	4	7	5
2	4	8	7	1	5	6	3	9
3	5	7	4	6	9	1	2	8
5	2	4	9	7	1	8	6	3
9	7	6	5	3	8	2	4	1
1	8	3	6	4	2	9	5	7

175

1	8	7	2	5	3	6	4	9
5	3	4	7	6	9	8	2	1
2	9	6	8	4	1	5	7	3
3	6	5	4	8	2	9	1	7
4	7	9	3	1	6	2	8	5
8	1	2	9	7	5	4	3	6
7	5	3	6	2	8	1	9	4
9	2	1	5	3	4	7	6	8
6	4	8	1	9	7	3	5	2

176

2	1	7	6	3	5	8	4	9
3	9	8	4	2	1	6	5	7
4	6	5	7	8	9	1	3	2
9	5	2	1	7	4	3	6	8
1	8	6	9	5	3	2	7	4
7	4	3	2	6	8	9	1	5
8	2	4	3	1	7	5	9	6
5	7	1	8	9	6	4	2	3
6	3	9	5	4	2	7	8	1

177

7	4	6	8	9	1	2	5	3
3	8	5	6	4	2	7	9	1
1	2	9	5	3	7	8	4	6
6	3	4	9	1	8	5	2	7
2	5	7	3	6	4	9	1	8
9	1	8	2	7	5	6	3	4
4	6	3	7	5	9	1	8	2
8	9	1	4	2	6	3	7	5
5	7	2	1	8	3	4	6	9

178

5	9	1	4	2	8	6	3	7
6	3	7	9	5	1	4	8	2
2	4	8	6	7	3	5	9	1
8	2	4	7	3	6	1	5	9
1	5	9	2	8	4	7	6	3
7	6	3	5	1	9	2	4	8
3	7	6	1	9	5	8	2	4
4	8	2	3	6	7	9	1	5
9	1	5	8	4	2	3	7	6

179

8	9	7	1	3	2	5	6	4
4	1	2	7	5	6	3	9	8
6	3	5	8	9	4	1	2	7
1	6	9	4	8	5	2	7	3
5	8	4	2	7	3	9	1	6
2	7	3	6	1	9	8	4	5
3	4	1	5	2	7	6	8	9
7	5	8	9	6	1	4	3	2
9	2	6	3	4	8	7	5	1

180

9	6	3	1	8	7	2	4	5
1	7	5	4	9	2	6	3	8
4	8	2	3	5	6	7	1	9
2	5	1	7	3	8	4	9	6
7	3	4	6	1	9	8	5	2
6	9	8	2	4	5	1	7	3
5	4	7	8	6	3	9	2	1
8	2	9	5	7	1	3	6	4
3	1	6	9	2	4	5	8	7

Solutions

181

8	1	2	3	9	7	5	6	4
4	9	5	2	6	1	7	3	8
3	7	6	8	4	5	1	2	9
2	6	4	5	1	8	3	9	7
7	5	8	9	3	2	6	4	1
9	3	1	6	7	4	2	8	5
6	4	3	7	5	9	8	1	2
1	2	7	4	8	6	9	5	3
5	8	9	1	2	3	4	7	6

182

8	3	2	5	9	7	1	6	4
5	1	6	3	2	4	7	8	9
9	4	7	8	6	1	3	5	2
1	9	8	4	3	6	5	2	7
3	6	5	7	8	2	4	9	1
7	2	4	1	5	9	8	3	6
6	8	1	9	7	5	2	4	3
4	5	9	2	1	3	6	7	8
2	7	3	6	4	8	9	1	5

183

3	1	2	9	4	8	5	6	7
4	8	9	5	7	6	2	3	1
7	6	5	1	2	3	8	9	4
6	7	8	4	5	9	1	2	3
5	9	1	3	6	2	4	7	8
2	4	3	7	8	1	9	5	6
1	2	7	8	3	5	6	4	9
8	3	6	2	9	4	7	1	5
9	5	4	6	1	7	3	8	2

184

3	8	1	2	5	7	6	4	9
4	6	5	3	9	1	8	2	7
7	9	2	4	6	8	1	3	5
5	4	9	8	3	2	7	1	6
8	2	6	7	1	5	4	9	3
1	3	7	9	4	6	5	8	2
2	1	3	6	7	4	9	5	8
6	5	8	1	2	9	3	7	4
9	7	4	5	8	3	2	6	1

185

9	7	2	3	6	1	5	4	8
5	4	6	2	8	7	1	3	9
1	8	3	4	9	5	7	2	6
4	1	8	6	7	3	9	5	2
3	5	7	9	1	2	8	6	4
2	6	9	8	5	4	3	1	7
6	9	4	1	3	8	2	7	5
8	3	5	7	2	6	4	9	1
7	2	1	5	4	9	6	8	3

186

8	2	5	7	3	9	1	4	6
9	6	7	5	4	1	2	3	8
3	1	4	8	2	6	7	9	5
4	3	2	9	6	7	8	5	1
7	9	1	4	5	8	6	2	3
5	8	6	3	1	2	4	7	9
1	4	8	2	9	3	5	6	7
2	7	9	6	8	5	3	1	4
6	5	3	1	7	4	9	8	2

187

9	8	5	7	3	1	2	6	4
7	1	2	6	5	4	8	3	9
6	4	3	9	2	8	1	7	5
1	7	4	5	8	9	6	2	3
3	5	9	2	1	6	7	4	8
8	2	6	3	4	7	9	5	1
4	6	8	1	7	5	3	9	2
2	9	1	4	6	3	5	8	7
5	3	7	8	9	2	4	1	6

188

2	3	4	1	9	5	6	7	8
9	1	6	3	8	7	5	4	2
5	7	8	4	6	2	1	3	9
3	9	5	2	7	1	4	8	6
6	2	1	8	4	3	9	5	7
8	4	7	9	5	6	2	1	3
1	8	2	5	3	9	7	6	4
7	5	3	6	2	4	8	9	1
4	6	9	7	1	8	3	2	5

189

8	3	4	7	2	1	5	6	9
9	7	5	6	3	4	2	8	1
6	2	1	8	5	9	3	4	7
3	1	9	2	7	8	4	5	6
5	4	8	1	9	6	7	3	2
2	6	7	5	4	3	9	1	8
7	9	6	3	1	5	8	2	4
1	5	2	4	8	7	6	9	3
4	8	3	9	6	2	1	7	5

Solutions

190

3	6	7	8	9	2	5	1	4
2	1	8	5	4	3	6	9	7
9	4	5	1	6	7	3	2	8
1	7	3	2	8	4	9	5	6
4	5	9	6	7	1	8	3	2
8	2	6	9	3	5	7	4	1
5	3	1	7	2	6	4	8	9
6	9	4	3	1	8	2	7	5
7	8	2	4	5	9	1	6	3

191

1	3	9	7	4	6	5	8	2
7	2	5	8	1	3	6	9	4
8	6	4	2	9	5	7	3	1
6	9	2	3	8	1	4	5	7
4	5	7	6	2	9	8	1	3
3	8	1	5	7	4	2	6	9
5	1	6	4	3	7	9	2	8
9	4	8	1	5	2	3	7	6
2	7	3	9	6	8	1	4	5

192

2	7	4	6	8	5	3	1	9
8	9	3	1	2	4	6	7	5
6	5	1	3	7	9	4	8	2
1	4	2	9	6	8	7	5	3
9	3	7	5	1	2	8	4	6
5	6	8	4	3	7	9	2	1
4	2	5	7	9	3	1	6	8
3	8	6	2	4	1	5	9	7
7	1	9	8	5	6	2	3	4

193

1	6	9	8	5	4	3	7	2
7	4	8	2	3	9	6	1	5
3	2	5	7	1	6	8	4	9
9	1	7	4	8	3	5	2	6
6	5	2	9	7	1	4	8	3
4	8	3	6	2	5	1	9	7
8	3	1	5	9	7	2	6	4
2	9	4	3	6	8	7	5	1
5	7	6	1	4	2	9	3	8

194

8	7	2	9	1	4	6	5	3
6	1	3	8	5	2	9	4	7
9	5	4	6	7	3	1	2	8
4	3	9	7	2	8	5	6	1
1	8	7	5	4	6	3	9	2
2	6	5	1	3	9	7	8	4
5	4	8	3	6	1	2	7	9
3	2	6	4	9	7	8	1	5
7	9	1	2	8	5	4	3	6

195

7	9	1	2	8	4	5	6	3
8	2	4	6	5	3	1	9	7
6	3	5	1	7	9	2	4	8
9	1	2	7	4	6	3	8	5
4	7	8	3	9	5	6	2	1
3	5	6	8	1	2	4	7	9
1	6	7	5	2	8	9	3	4
2	8	9	4	3	1	7	5	6
5	4	3	9	6	7	8	1	2

196

7	3	4	5	8	2	1	6	9
8	5	1	9	7	6	2	4	3
9	2	6	3	1	4	5	7	8
6	9	8	7	2	5	3	1	4
1	7	2	4	6	3	8	9	5
5	4	3	1	9	8	7	2	6
2	8	9	6	5	7	4	3	1
3	6	7	8	4	1	9	5	2
4	1	5	2	3	9	6	8	7

197

6	3	5	4	2	7	8	1	9
7	8	1	5	3	9	2	6	4
4	9	2	1	8	6	3	7	5
3	6	9	8	1	2	4	5	7
2	1	7	6	4	5	9	8	3
8	5	4	7	9	3	1	2	6
5	2	3	9	7	1	6	4	8
1	7	8	3	6	4	5	9	2
9	4	6	2	5	8	7	3	1

198

9	3	1	2	8	6	4	5	7
6	7	4	5	9	3	2	1	8
5	8	2	1	4	7	3	6	9
2	6	8	7	1	5	9	3	4
7	1	5	9	3	4	6	8	2
4	9	3	6	2	8	1	7	5
3	4	9	8	7	1	5	2	6
8	2	6	3	5	9	7	4	1
1	5	7	4	6	2	8	9	3

Solutions

199

1	9	2	7	5	4	6	8	3
4	6	7	8	3	1	9	2	5
3	8	5	2	6	9	4	7	1
5	2	4	3	7	6	1	9	8
7	1	8	9	4	5	3	6	2
9	3	6	1	2	8	5	4	7
2	7	9	6	1	3	8	5	4
6	4	3	5	8	7	2	1	9
8	5	1	4	9	2	7	3	6

200

6	1	8	3	5	4	2	9	7
5	7	9	1	6	2	4	3	8
4	2	3	7	9	8	1	6	5
2	3	4	9	7	6	5	8	1
7	9	1	8	4	5	6	2	3
8	6	5	2	3	1	7	4	9
9	4	6	5	1	3	8	7	2
1	8	7	6	2	9	3	5	4
3	5	2	4	8	7	9	1	6

201

4	1	3	9	5	6	2	7	8
2	7	6	1	8	3	9	4	5
9	8	5	4	2	7	3	6	1
7	6	4	2	9	8	5	1	3
1	3	9	7	6	5	4	8	2
8	5	2	3	4	1	7	9	6
5	9	7	8	1	2	6	3	4
6	4	8	5	3	9	1	2	7
3	2	1	6	7	4	8	5	9

202

4	8	2	1	7	6	3	9	5
6	7	9	2	5	3	8	1	4
5	3	1	4	8	9	6	7	2
2	1	3	9	4	8	7	5	6
9	4	8	7	6	5	2	3	1
7	5	6	3	2	1	9	4	8
8	6	7	5	9	4	1	2	3
1	9	4	8	3	2	5	6	7
3	2	5	6	1	7	4	8	9

203

1	8	5	6	4	7	2	9	3
6	3	2	9	8	5	4	1	7
9	7	4	2	3	1	6	8	5
7	9	6	1	2	3	5	4	8
3	2	1	8	5	4	9	7	6
5	4	8	7	6	9	3	2	1
8	5	3	4	1	2	7	6	9
4	6	7	5	9	8	1	3	2
2	1	9	3	7	6	8	5	4

204

6	3	5	4	1	2	7	9	8
9	7	1	5	8	6	2	3	4
2	4	8	3	7	9	5	1	6
7	5	3	1	9	4	8	6	2
1	2	4	6	5	8	9	7	3
8	9	6	7	2	3	1	4	5
5	6	2	9	3	1	4	8	7
3	1	7	8	4	5	6	2	9
4	8	9	2	6	7	3	5	1

205

9	3	7	1	5	6	4	8	2
8	2	4	7	3	9	1	5	6
6	1	5	4	8	2	9	3	7
5	6	9	8	7	4	2	1	3
2	7	8	3	6	1	5	9	4
1	4	3	2	9	5	7	6	8
3	8	1	5	4	7	6	2	9
4	5	6	9	2	3	8	7	1
7	9	2	6	1	8	3	4	5

206

7	5	4	9	2	1	3	8	6
6	8	1	4	3	7	9	2	5
2	3	9	6	8	5	1	4	7
3	6	8	5	9	2	4	7	1
9	2	5	1	7	4	6	3	8
1	4	7	3	6	8	2	5	9
4	7	2	8	1	6	5	9	3
5	9	6	7	4	3	8	1	2
8	1	3	2	5	9	7	6	4

207

6	1	2	4	7	5	3	9	8
7	8	4	3	6	9	1	5	2
9	3	5	2	1	8	7	4	6
5	9	3	1	2	7	8	6	4
2	4	1	8	9	6	5	7	3
8	6	7	5	3	4	9	2	1
1	7	9	6	4	3	2	8	5
3	5	6	9	8	2	4	1	7
4	2	8	7	5	1	6	3	9

Solutions

208

4	3	7	6	1	2	8	9	5
9	1	2	8	5	3	4	6	7
6	5	8	4	7	9	3	2	1
1	9	3	2	6	5	7	4	8
5	2	4	7	3	8	9	1	6
7	8	6	9	4	1	5	3	2
3	7	1	5	2	4	6	8	9
2	6	9	3	8	7	1	5	4
8	4	5	1	9	6	2	7	3

209

2	7	6	4	3	9	8	1	5
4	8	3	5	2	1	7	6	9
9	5	1	6	7	8	4	2	3
6	4	7	9	1	3	2	5	8
3	1	5	8	4	2	6	9	7
8	2	9	7	6	5	3	4	1
5	6	8	3	9	4	1	7	2
7	3	2	1	5	6	9	8	4
1	9	4	2	8	7	5	3	6

210

7	4	2	6	8	5	9	3	1
1	8	5	3	9	4	6	2	7
3	6	9	7	2	1	4	5	8
5	7	1	9	6	3	8	4	2
2	9	6	4	1	8	5	7	3
8	3	4	2	5	7	1	6	9
4	2	8	5	3	9	7	1	6
9	5	3	1	7	6	2	8	4
6	1	7	8	4	2	3	9	5

211

2	7	1	8	5	9	3	6	4
5	8	4	6	2	3	7	9	1
9	6	3	1	4	7	2	5	8
1	4	9	3	6	5	8	2	7
8	2	7	9	1	4	6	3	5
3	5	6	7	8	2	4	1	9
7	3	8	2	9	1	5	4	6
6	1	5	4	3	8	9	7	2
4	9	2	5	7	6	1	8	3

212

8	6	1	9	2	7	5	4	3
5	4	9	1	6	3	8	2	7
2	7	3	4	8	5	1	9	6
9	1	7	5	3	4	2	6	8
6	3	8	2	9	1	4	7	5
4	2	5	8	7	6	9	3	1
1	5	6	7	4	2	3	8	9
3	9	4	6	5	8	7	1	2
7	8	2	3	1	9	6	5	4

213

4	5	8	7	6	1	2	3	9
3	6	2	4	5	9	8	7	1
1	9	7	2	3	8	6	5	4
8	7	1	6	4	5	3	9	2
2	3	9	8	1	7	4	6	5
6	4	5	9	2	3	7	1	8
5	8	6	3	9	2	1	4	7
7	1	3	5	8	4	9	2	6
9	2	4	1	7	6	5	8	3

214

9	4	3	1	7	8	6	5	2
7	1	6	5	2	3	9	4	8
2	8	5	9	6	4	3	7	1
3	5	2	4	8	9	1	6	7
1	7	9	3	5	6	8	2	4
4	6	8	7	1	2	5	3	9
5	9	1	2	3	7	4	8	6
6	3	7	8	4	1	2	9	5
8	2	4	6	9	5	7	1	3

215

7	1	8	4	5	6	9	2	3
3	2	9	8	1	7	5	4	6
4	6	5	3	2	9	7	1	8
9	3	7	6	8	2	4	5	1
2	8	1	5	3	4	6	9	7
5	4	6	7	9	1	8	3	2
6	9	2	1	7	5	3	8	4
8	5	4	2	6	3	1	7	9
1	7	3	9	4	8	2	6	5

216

9	3	5	7	8	4	2	1	6
1	7	4	2	3	6	9	8	5
6	2	8	9	1	5	7	3	4
8	5	3	6	2	1	4	9	7
2	4	9	5	7	3	1	6	8
7	6	1	4	9	8	3	5	2
4	1	2	8	5	9	6	7	3
3	8	6	1	4	7	5	2	9
5	9	7	3	6	2	8	4	1

Solutions

217

5	6	4	2	7	8	9	3	1
1	7	3	5	9	4	2	6	8
2	9	8	1	6	3	5	4	7
4	8	5	7	3	1	6	2	9
9	1	7	6	4	2	8	5	3
3	2	6	9	8	5	7	1	4
8	3	2	4	5	7	1	9	6
7	5	9	3	1	6	4	8	2
6	4	1	8	2	9	3	7	5

218

1	2	7	3	6	8	5	9	4
4	9	3	7	2	5	6	8	1
8	5	6	4	9	1	7	3	2
6	1	8	5	3	7	4	2	9
3	7	9	1	4	2	8	5	6
2	4	5	9	8	6	3	1	7
9	6	2	8	7	3	1	4	5
5	8	4	6	1	9	2	7	3
7	3	1	2	5	4	9	6	8

219

2	3	5	7	6	8	9	4	1
4	1	9	2	3	5	6	7	8
8	6	7	9	1	4	2	3	5
7	4	3	8	5	6	1	9	2
1	2	8	4	9	3	7	5	6
5	9	6	1	2	7	4	8	3
3	8	1	6	4	9	5	2	7
6	5	4	3	7	2	8	1	9
9	7	2	5	8	1	3	6	4

220

6	3	5	4	2	9	8	1	7
2	4	7	6	1	8	3	5	9
1	8	9	3	5	7	6	4	2
5	7	8	2	9	3	1	6	4
3	6	2	1	7	4	5	9	8
4	9	1	5	8	6	2	7	3
8	1	6	9	4	2	7	3	5
7	5	4	8	3	1	9	2	6
9	2	3	7	6	5	4	8	1

221

3	1	9	6	7	4	2	8	5
6	4	7	2	5	8	9	3	1
5	2	8	3	9	1	7	4	6
1	7	4	9	6	3	8	5	2
2	3	6	8	4	5	1	7	9
8	9	5	7	1	2	4	6	3
9	6	3	4	2	7	5	1	8
7	5	2	1	8	6	3	9	4
4	8	1	5	3	9	6	2	7

222

9	6	1	5	8	2	4	3	7
8	4	5	6	7	3	2	1	9
7	2	3	4	9	1	5	6	8
2	9	8	3	1	4	7	5	6
5	1	4	7	2	6	9	8	3
3	7	6	9	5	8	1	4	2
1	3	2	8	4	9	6	7	5
6	5	9	1	3	7	8	2	4
4	8	7	2	6	5	3	9	1

223

8	7	3	5	9	1	4	6	2
5	9	2	4	6	3	7	8	1
1	4	6	2	7	8	5	3	9
7	5	4	9	1	6	8	2	3
6	3	8	7	2	4	9	1	5
9	2	1	8	3	5	6	7	4
4	1	7	6	5	2	3	9	8
3	6	5	1	8	9	2	4	7
2	8	9	3	4	7	1	5	6

224

5	2	1	6	4	8	9	7	3
3	6	8	2	9	7	4	5	1
4	7	9	1	3	5	2	6	8
6	9	5	7	8	1	3	4	2
7	8	4	3	5	2	1	9	6
1	3	2	9	6	4	5	8	7
8	4	7	5	2	3	6	1	9
9	1	3	4	7	6	8	2	5
2	5	6	8	1	9	7	3	4

225

8	2	1	4	9	5	3	6	7
7	9	4	1	6	3	2	5	8
6	5	3	2	7	8	9	1	4
5	4	7	3	1	9	6	8	2
1	3	6	5	8	2	7	4	9
9	8	2	6	4	7	5	3	1
2	7	5	8	3	4	1	9	6
4	6	9	7	5	1	8	2	3
3	1	8	9	2	6	4	7	5

Solutions

226

7	9	4	3	5	8	2	6	1
1	8	2	7	4	6	5	3	9
3	6	5	9	2	1	4	7	8
6	4	7	2	1	5	9	8	3
8	3	1	6	9	4	7	2	5
2	5	9	8	3	7	6	1	4
4	2	8	1	6	9	3	5	7
5	1	6	4	7	3	8	9	2
9	7	3	5	8	2	1	4	6

227

1	2	4	5	8	3	9	6	7
9	5	7	6	1	2	8	3	4
6	8	3	4	9	7	1	5	2
4	3	9	7	5	8	6	2	1
2	6	8	1	3	9	7	4	5
7	1	5	2	6	4	3	9	8
5	7	1	9	2	6	4	8	3
3	9	2	8	4	1	5	7	6
8	4	6	3	7	5	2	1	9

228

3	1	6	8	4	7	2	9	5
4	2	5	3	6	9	1	8	7
8	9	7	2	1	5	4	3	6
6	4	2	1	8	3	7	5	9
9	7	8	4	5	2	6	1	3
1	5	3	7	9	6	8	4	2
5	6	1	9	7	4	3	2	8
7	3	4	5	2	8	9	6	1
2	8	9	6	3	1	5	7	4

229

6	7	2	4	8	5	1	9	3
4	9	8	1	3	6	7	2	5
1	5	3	7	2	9	6	4	8
8	4	5	2	9	1	3	7	6
9	6	1	3	7	8	2	5	4
2	3	7	6	5	4	9	8	1
3	8	4	9	1	7	5	6	2
7	2	6	5	4	3	8	1	9
5	1	9	8	6	2	4	3	7

230

3	2	6	5	7	9	1	8	4
4	5	7	8	6	1	3	9	2
9	1	8	4	2	3	5	6	7
1	4	2	9	5	7	8	3	6
8	3	5	2	4	6	7	1	9
6	7	9	1	3	8	2	4	5
2	9	1	7	8	4	6	5	3
7	6	4	3	1	5	9	2	8
5	8	3	6	9	2	4	7	1

231

2	7	5	6	4	8	3	9	1
3	8	9	2	5	1	4	6	7
1	4	6	9	7	3	5	8	2
7	2	4	5	3	9	8	1	6
8	5	1	4	6	2	9	7	3
6	9	3	8	1	7	2	4	5
5	3	7	1	8	4	6	2	9
4	6	2	7	9	5	1	3	8
9	1	8	3	2	6	7	5	4

232

9	6	8	1	2	5	3	4	7
3	4	5	7	6	8	9	2	1
1	7	2	4	9	3	6	8	5
7	5	1	9	8	2	4	6	3
4	8	3	6	7	1	2	5	9
6	2	9	3	5	4	7	1	8
5	9	7	8	4	6	1	3	2
2	3	4	5	1	7	8	9	6
8	1	6	2	3	9	5	7	4

233

8	4	6	9	7	2	1	5	3
9	7	3	1	4	5	8	6	2
2	5	1	6	3	8	7	9	4
1	8	2	3	5	6	4	7	9
6	9	5	4	8	7	2	3	1
7	3	4	2	1	9	6	8	5
5	1	8	7	9	4	3	2	6
4	6	7	5	2	3	9	1	8
3	2	9	8	6	1	5	4	7

234

1	2	9	5	6	7	8	4	3
4	8	7	1	9	3	5	6	2
3	5	6	4	2	8	9	7	1
2	3	1	7	5	6	4	9	8
8	7	4	9	3	2	1	5	6
6	9	5	8	4	1	2	3	7
5	1	2	6	7	9	3	8	4
7	4	8	3	1	5	6	2	9
9	6	3	2	8	4	7	1	5

Solutions

235

7	4	9	8	1	5	3	2	6
2	6	8	9	3	4	1	7	5
5	3	1	2	7	6	8	9	4
6	9	3	7	4	1	5	8	2
8	5	4	3	9	2	6	1	7
1	7	2	5	6	8	4	3	9
4	2	6	1	8	7	9	5	3
3	8	5	6	2	9	7	4	1
9	1	7	4	5	3	2	6	8

236

4	9	2	8	3	5	7	1	6
1	6	7	2	9	4	8	5	3
8	3	5	1	6	7	4	2	9
7	8	9	6	5	1	2	3	4
3	2	1	4	7	8	6	9	5
6	5	4	9	2	3	1	8	7
5	1	8	7	4	9	3	6	2
2	4	3	5	1	6	9	7	8
9	7	6	3	8	2	5	4	1

237

4	8	7	1	2	6	3	5	9
1	5	6	8	3	9	4	7	2
3	2	9	5	4	7	8	6	1
7	9	3	4	5	1	6	2	8
6	1	2	7	8	3	5	9	4
8	4	5	6	9	2	1	3	7
2	7	1	3	6	8	9	4	5
9	6	4	2	1	5	7	8	3
5	3	8	9	7	4	2	1	6

238

5	1	7	2	6	8	9	4	3
8	9	6	7	3	4	1	5	2
2	3	4	9	5	1	7	6	8
9	4	8	3	2	5	6	1	7
1	7	5	8	9	6	2	3	4
3	6	2	1	4	7	5	8	9
7	5	1	4	8	9	3	2	6
4	2	9	6	1	3	8	7	5
6	8	3	5	7	2	4	9	1

239

8	3	1	4	9	7	5	2	6
6	7	9	5	2	1	3	4	8
2	5	4	6	3	8	9	1	7
3	4	2	7	1	9	6	8	5
7	8	5	2	6	4	1	9	3
9	1	6	8	5	3	4	7	2
1	6	8	9	7	5	2	3	4
5	9	7	3	4	2	8	6	1
4	2	3	1	8	6	7	5	9

240

2	7	3	6	9	4	1	8	5
1	4	8	7	2	5	6	9	3
5	6	9	1	8	3	4	2	7
7	9	4	2	5	6	8	3	1
3	2	1	9	7	8	5	6	4
8	5	6	4	3	1	2	7	9
9	1	7	8	4	2	3	5	6
4	3	2	5	6	7	9	1	8
6	8	5	3	1	9	7	4	2

241

6	3	7	8	9	5	4	2	1
1	8	4	7	3	2	5	9	6
5	9	2	6	4	1	7	8	3
8	7	6	2	1	3	9	4	5
2	4	9	5	8	6	1	3	7
3	1	5	9	7	4	2	6	8
7	6	3	1	2	9	8	5	4
9	5	8	4	6	7	3	1	2
4	2	1	3	5	8	6	7	9

242

6	5	4	7	1	3	8	9	2
9	8	7	2	5	6	3	1	4
3	2	1	8	9	4	5	6	7
2	4	6	5	7	9	1	3	8
5	7	8	3	4	1	9	2	6
1	9	3	6	2	8	7	4	5
8	1	2	4	3	5	6	7	9
4	6	9	1	8	7	2	5	3
7	3	5	9	6	2	4	8	1

243

3	8	4	6	7	2	9	5	1
7	2	5	3	9	1	8	6	4
9	6	1	4	5	8	3	2	7
2	5	6	9	1	3	7	4	8
8	4	3	5	6	7	1	9	2
1	9	7	2	8	4	6	3	5
5	1	2	7	3	9	4	8	6
6	7	9	8	4	5	2	1	3
4	3	8	1	2	6	5	7	9

Solutions

244

6	8	2	4	1	3	7	5	9
4	1	5	2	9	7	8	6	3
7	9	3	5	6	8	1	4	2
9	7	4	6	2	1	5	3	8
1	5	8	7	3	9	6	2	4
2	3	6	8	5	4	9	1	7
5	6	7	9	4	2	3	8	1
3	4	9	1	8	5	2	7	6
8	2	1	3	7	6	4	9	5

245

3	5	6	1	8	9	7	4	2
8	1	7	2	3	4	9	6	5
2	9	4	7	6	5	8	1	3
7	3	5	6	9	1	2	8	4
9	8	1	4	2	7	5	3	6
6	4	2	3	5	8	1	7	9
1	2	9	8	4	6	3	5	7
4	7	3	5	1	2	6	9	8
5	6	8	9	7	3	4	2	1

246

3	7	8	1	2	9	4	6	5
4	5	2	6	8	7	1	3	9
9	6	1	5	3	4	7	2	8
6	9	5	4	1	3	8	7	2
1	4	7	8	5	2	3	9	6
2	8	3	7	9	6	5	1	4
5	1	9	2	7	8	6	4	3
7	3	6	9	4	5	2	8	1
8	2	4	3	6	1	9	5	7

247

6	4	9	8	3	5	7	1	2
2	8	5	1	7	4	9	3	6
3	7	1	6	9	2	4	5	8
4	2	3	5	8	6	1	9	7
7	1	6	9	2	3	8	4	5
5	9	8	4	1	7	6	2	3
9	3	7	2	6	1	5	8	4
1	6	4	3	5	8	2	7	9
8	5	2	7	4	9	3	6	1

248

8	2	5	3	4	6	7	9	1
4	7	6	2	1	9	5	3	8
1	3	9	5	8	7	2	6	4
7	1	8	6	9	2	4	5	3
5	9	2	4	7	3	1	8	6
6	4	3	1	5	8	9	2	7
2	8	4	7	3	5	6	1	9
9	6	7	8	2	1	3	4	5
3	5	1	9	6	4	8	7	2

249

8	4	5	9	2	1	3	7	6
1	7	9	8	3	6	4	2	5
3	2	6	5	4	7	9	1	8
5	6	4	1	8	2	7	9	3
9	8	2	7	6	3	5	4	1
7	1	3	4	5	9	8	6	2
4	3	1	2	9	8	6	5	7
2	5	8	6	7	4	1	3	9
6	9	7	3	1	5	2	8	4

250

1	4	3	6	9	2	7	8	5
7	6	9	8	4	5	1	3	2
2	8	5	3	1	7	9	6	4
9	7	2	5	6	4	8	1	3
3	1	4	7	2	8	6	5	9
6	5	8	9	3	1	2	4	7
8	9	7	4	5	6	3	2	1
5	2	6	1	7	3	4	9	8
4	3	1	2	8	9	5	7	6

251

8	7	6	3	4	5	1	2	9
3	1	9	6	2	7	5	4	8
5	4	2	9	8	1	3	7	6
2	6	3	4	7	8	9	5	1
4	5	7	1	6	9	2	8	3
1	9	8	5	3	2	7	6	4
9	8	1	2	5	6	4	3	7
7	3	5	8	9	4	6	1	2
6	2	4	7	1	3	8	9	5

252

2	7	9	4	8	5	1	6	3
1	5	8	6	7	3	9	2	4
4	6	3	9	2	1	5	7	8
6	3	2	8	1	9	7	4	5
5	8	7	3	6	4	2	1	9
9	1	4	7	5	2	3	8	6
3	9	6	1	4	7	8	5	2
8	2	1	5	9	6	4	3	7
7	4	5	2	3	8	6	9	1

Solutions

253

8	3	5	6	2	9	1	4	7
6	7	2	4	5	1	3	8	9
9	4	1	3	7	8	6	2	5
2	5	7	9	4	6	8	3	1
3	1	6	5	8	2	7	9	4
4	9	8	7	1	3	2	5	6
1	8	4	2	6	5	9	7	3
5	2	3	1	9	7	4	6	8
7	6	9	8	3	4	5	1	2

254

4	3	8	1	9	2	7	6	5
5	1	9	8	6	7	3	2	4
7	6	2	5	3	4	1	8	9
1	5	4	7	2	6	8	9	3
3	2	6	9	5	8	4	1	7
9	8	7	4	1	3	2	5	6
8	9	3	6	7	1	5	4	2
6	7	1	2	4	5	9	3	8
2	4	5	3	8	9	6	7	1

255

2	8	1	5	9	6	3	4	7
6	5	4	3	7	2	8	1	9
7	9	3	8	4	1	5	6	2
1	4	7	2	8	3	6	9	5
5	3	2	1	6	9	4	7	8
9	6	8	7	5	4	1	2	3
8	1	5	4	2	7	9	3	6
4	7	6	9	3	5	2	8	1
3	2	9	6	1	8	7	5	4

256

7	8	1	5	4	2	3	9	6
2	6	3	1	8	9	7	4	5
4	9	5	7	3	6	1	2	8
5	3	9	2	6	7	8	1	4
8	7	4	3	5	1	2	6	9
1	2	6	8	9	4	5	3	7
3	4	2	6	7	8	9	5	1
9	5	8	4	1	3	6	7	2
6	1	7	9	2	5	4	8	3

257

2	1	8	9	6	3	4	7	5
6	7	5	8	2	4	3	9	1
9	4	3	1	5	7	2	6	8
4	8	7	3	1	9	5	2	6
5	6	1	7	4	2	8	3	9
3	9	2	5	8	6	1	4	7
1	3	4	6	9	5	7	8	2
8	2	6	4	7	1	9	5	3
7	5	9	2	3	8	6	1	4

258

8	5	6	1	2	7	9	4	3
9	4	1	5	8	3	7	2	6
2	7	3	9	4	6	8	5	1
3	2	7	8	5	4	6	1	9
6	8	9	3	1	2	5	7	4
5	1	4	6	7	9	3	8	2
7	9	2	4	6	5	1	3	8
1	6	5	2	3	8	4	9	7
4	3	8	7	9	1	2	6	5

259

6	2	5	9	7	3	1	8	4
9	4	7	1	2	8	5	6	3
1	8	3	6	4	5	2	9	7
3	1	2	4	9	7	8	5	6
4	6	9	8	5	2	7	3	1
5	7	8	3	6	1	4	2	9
8	9	6	5	1	4	3	7	2
7	5	1	2	3	6	9	4	8
2	3	4	7	8	9	6	1	5

260

6	4	8	1	9	3	7	2	5
3	7	2	5	6	8	4	9	1
9	5	1	2	4	7	6	8	3
8	3	9	7	1	2	5	6	4
5	2	6	4	3	9	8	1	7
4	1	7	6	8	5	9	3	2
7	9	5	8	2	1	3	4	6
2	6	3	9	5	4	1	7	8
1	8	4	3	7	6	2	5	9

261

8	3	1	9	4	7	5	6	2
6	9	2	8	5	1	4	7	3
4	5	7	6	2	3	1	9	8
2	6	3	4	1	8	9	5	7
9	7	5	3	6	2	8	1	4
1	8	4	5	7	9	3	2	6
5	4	9	2	3	6	7	8	1
3	1	6	7	8	5	2	4	9
7	2	8	1	9	4	6	3	5

Solutions

262

6	5	9	8	7	1	2	3	4
7	1	8	4	2	3	9	5	6
3	4	2	5	9	6	1	8	7
4	9	5	3	6	2	8	7	1
1	3	6	7	5	8	4	9	2
8	2	7	1	4	9	5	6	3
5	8	4	2	3	7	6	1	9
2	6	3	9	1	5	7	4	8
9	7	1	6	8	4	3	2	5

263

3	1	2	7	8	4	6	5	9
9	8	4	5	6	1	7	2	3
6	7	5	9	2	3	1	8	4
2	6	7	4	1	8	3	9	5
4	5	3	6	9	7	8	1	2
8	9	1	3	5	2	4	7	6
1	3	9	8	4	5	2	6	7
5	4	8	2	7	6	9	3	1
7	2	6	1	3	9	5	4	8

264

5	1	8	2	7	3	9	6	4
6	4	9	8	5	1	2	3	7
7	2	3	6	9	4	8	1	5
4	9	6	7	8	2	3	5	1
3	5	7	4	1	9	6	2	8
1	8	2	5	3	6	4	7	9
2	7	1	3	4	8	5	9	6
8	6	5	9	2	7	1	4	3
9	3	4	1	6	5	7	8	2

265

4	1	2	8	5	6	9	3	7
6	5	3	7	1	9	2	4	8
7	9	8	2	4	3	1	6	5
5	7	9	1	6	4	8	2	3
3	4	1	5	8	2	7	9	6
2	8	6	9	3	7	5	1	4
8	3	7	4	9	1	6	5	2
9	2	4	6	7	5	3	8	1
1	6	5	3	2	8	4	7	9

266

4	7	5	3	2	9	6	1	8
8	9	2	5	6	1	7	3	4
6	3	1	7	8	4	2	9	5
9	4	3	8	1	2	5	7	6
1	6	7	9	4	5	8	2	3
2	5	8	6	3	7	1	4	9
3	2	4	1	5	6	9	8	7
7	8	6	2	9	3	4	5	1
5	1	9	4	7	8	3	6	2

267

7	3	8	1	5	9	4	6	2
4	1	9	3	6	2	8	5	7
6	2	5	4	7	8	9	3	1
9	5	6	8	3	7	2	1	4
2	8	3	6	4	1	7	9	5
1	7	4	9	2	5	6	8	3
5	6	2	7	9	3	1	4	8
3	9	1	2	8	4	5	7	6
8	4	7	5	1	6	3	2	9

268

7	9	1	4	2	6	3	5	8
6	3	8	5	1	9	2	4	7
5	4	2	8	7	3	9	1	6
4	1	3	2	8	5	7	6	9
2	5	9	1	6	7	8	3	4
8	6	7	3	9	4	5	2	1
3	7	4	9	5	1	6	8	2
9	8	5	6	4	2	1	7	3
1	2	6	7	3	8	4	9	5

269

9	7	1	6	4	8	2	3	5
6	4	2	5	7	3	1	8	9
5	8	3	2	9	1	7	4	6
3	1	7	4	5	2	9	6	8
8	6	5	7	3	9	4	1	2
4	2	9	8	1	6	3	5	7
1	9	8	3	6	7	5	2	4
2	3	4	9	8	5	6	7	1
7	5	6	1	2	4	8	9	3

270

9	5	4	2	8	1	3	7	6
8	1	7	9	3	6	5	4	2
2	6	3	7	4	5	1	8	9
5	3	6	4	9	7	8	2	1
1	8	9	5	2	3	7	6	4
7	4	2	1	6	8	9	5	3
6	9	5	8	1	4	2	3	7
4	7	1	3	5	2	6	9	8
3	2	8	6	7	9	4	1	5

Solutions

271

8	4	3	5	7	2	6	1	9
9	6	1	3	4	8	5	7	2
2	7	5	6	9	1	8	4	3
3	5	7	8	2	4	9	6	1
1	2	8	9	5	6	7	3	4
6	9	4	1	3	7	2	5	8
7	1	9	2	6	3	4	8	5
4	8	2	7	1	5	3	9	6
5	3	6	4	8	9	1	2	7

272

4	1	5	2	9	8	7	6	3
2	7	9	6	5	3	4	1	8
3	8	6	7	4	1	2	5	9
9	6	3	4	2	5	1	8	7
7	5	4	1	8	9	6	3	2
1	2	8	3	7	6	5	9	4
8	3	7	5	6	4	9	2	1
6	4	1	9	3	2	8	7	5
5	9	2	8	1	7	3	4	6

273

8	5	3	1	2	9	7	6	4
1	9	6	8	7	4	2	5	3
7	2	4	5	3	6	9	8	1
6	8	5	2	4	3	1	9	7
4	1	9	7	8	5	3	2	6
3	7	2	9	6	1	8	4	5
5	4	7	3	9	2	6	1	8
9	3	1	6	5	8	4	7	2
2	6	8	4	1	7	5	3	9

274

2	5	7	9	8	3	4	6	1
9	8	4	5	1	6	7	2	3
3	1	6	7	2	4	8	9	5
5	9	1	3	4	2	6	8	7
4	6	2	8	7	1	3	5	9
8	7	3	6	9	5	2	1	4
7	4	5	1	6	8	9	3	2
6	3	9	2	5	7	1	4	8
1	2	8	4	3	9	5	7	6

275

1	4	5	8	9	2	6	7	3
2	6	9	1	7	3	5	4	8
8	7	3	5	4	6	1	2	9
4	5	7	2	6	9	8	3	1
9	2	8	3	1	5	7	6	4
3	1	6	4	8	7	9	5	2
5	8	4	6	3	1	2	9	7
7	3	2	9	5	8	4	1	6
6	9	1	7	2	4	3	8	5

276

6	7	5	8	9	3	1	4	2
3	4	2	1	6	7	5	8	9
9	1	8	4	5	2	3	7	6
4	3	9	7	8	5	2	6	1
1	5	7	2	4	6	9	3	8
8	2	6	3	1	9	7	5	4
5	9	4	6	3	1	8	2	7
7	8	3	9	2	4	6	1	5
2	6	1	5	7	8	4	9	3

277

2	1	4	5	3	6	7	8	9
3	8	7	1	9	2	4	6	5
6	5	9	8	7	4	2	3	1
9	2	1	4	5	8	6	7	3
7	3	5	6	2	9	1	4	8
4	6	8	7	1	3	9	5	2
5	4	6	9	8	1	3	2	7
1	7	3	2	6	5	8	9	4
8	9	2	3	4	7	5	1	6

278

3	5	7	9	1	8	6	4	2
9	2	4	5	7	6	1	8	3
8	1	6	3	4	2	9	5	7
7	6	1	2	8	4	5	3	9
5	8	2	7	3	9	4	1	6
4	9	3	6	5	1	7	2	8
1	4	9	8	6	3	2	7	5
2	7	8	4	9	5	3	6	1
6	3	5	1	2	7	8	9	4

279

5	6	8	9	3	1	4	7	2
2	4	7	8	6	5	9	3	1
9	3	1	7	2	4	8	6	5
1	8	5	4	9	6	3	2	7
3	9	6	2	8	7	1	5	4
4	7	2	1	5	3	6	8	9
8	1	3	5	7	9	2	4	6
6	5	4	3	1	2	7	9	8
7	2	9	6	4	8	5	1	3